D1215561

L'HYMNE DE BATAILLE
DE LA MÈRE TIGRE

AMY CHUA

L'hymne de bataille de la mère Tigre

Traduit de l'anglais (États-Unis)
par Juliette Bourdin

GALLIMARD

Crédits photographiques

Page 17 : © Susan Bradley Photography
Page 46 : © Bachrach Photography
Pages 211, 271 et 281 : © Peter Z. Mahakian
Toutes les autres photographies font partie de la collection familiale de l'auteur.

Titre original :
BATTLE HYMN OF THE TIGER MOTHER

Pour Sophia et Louisa
Et pour Katrin

Voici l'histoire d'une mère, de deux filles, et de deux chiens. C'est aussi l'histoire de Mozart et de Mendelssohn, du piano et du violon, et de notre ascension jusqu'au Carnegie Hall.

Ce livre était *censé* raconter comment les parents chinois savent mieux éduquer les enfants que les parents occidentaux.

Mais c'est en fait l'histoire d'un violent conflit culturel, d'un éphémère parfum de gloire, et de la leçon d'humilité que m'a infligée une adolescente de treize ans.

PREMIÈRE PARTIE

Le Tigre, symbole vivant de la force et de la puissance, inspire généralement la peur et le respect.

1

LA MÈRE CHINOISE

Beaucoup de gens se demandent comment s'y prennent les parents chinois pour que leurs enfants soient de tels stéréotypes de réussite. Ils se demandent ce que font ces parents pour produire autant d'as des maths et de jeunes prodiges de la musique, comment ça se passe au sein de la famille, et si eux-mêmes pourraient en faire autant. Eh bien, je peux le leur dire parce que je l'ai fait. Voici des choses qui n'étaient jamais autorisées à mes filles, Sophia et Louisa :

– faire une soirée pyjama ;
– participer à une journée de jeux avec les copines ;
– participer à un spectacle à l'école ;
– se plaindre de ne pas participer à un spectacle à l'école ;
– regarder la télé ou jouer à des jeux vidéo ;
– choisir elles-mêmes leurs activités parascolaires ;
– obtenir une note inférieure à A ;
– ne pas être premières de la classe dans toutes les matières, excepté en éducation physique et en théâtre ;

– jouer d'un autre instrument que le piano ou le violon ;

– ne pas jouer du piano ou du violon.

J'utilise l'expression « mère chinoise » assez librement. J'ai récemment rencontré un Blanc brillantissime du Dakota du Sud (on l'a vu à la télévision) et, après avoir échangé nos impressions, nous avons décidé que son père ouvrier avait assurément été une mère chinoise. Je connais des parents coréens, indiens, jamaïquains, irlandais et ghanéens qui remplissent également les conditions requises, tandis que je connais des mères d'ascendance chinoise, presque toujours nées en Occident, qui, à l'inverse, ne sont absolument pas des mères chinoises, par choix ou autre.

J'emploie l'expression « parents occidentaux » tout aussi librement, car il y en a de toutes sortes. En fait, je me risquerai même à dire que les Occidentaux présentent une bien plus grande diversité dans leurs types d'éducation des enfants que les Chinois. Certains parents occidentaux sont stricts, d'autres laxistes. On trouve des familles homoparentales, juives orthodoxes, monoparentales, tandis que d'autres ont été fondées par d'anciens hippies, banquiers d'affaires ou militaires. Aucun de ces parents « occidentaux » ne partage nécessairement le point de vue des autres, donc, lorsque j'utilise l'expression « parents occidentaux », je ne me réfère évidemment pas à tous les parents occidentaux — tout comme la formule « mère chinoise » ne renvoie pas à toutes les mères chinoises.

Il n'empêche que, même lorsque les parents occidentaux croient se montrer stricts, ils sont généralement bien loin d'être des mères chinoises. Par exemple, mes amis occidentaux qui se considèrent comme sévères obligent leurs enfants à travailler leur instrument une demi-heure par jour. Une heure tout au plus. Pour une mère chinoise, la première heure est la partie aisée. Ce sont les deux heures suivantes qui commencent à devenir difficiles.

Malgré notre répugnance à l'égard des stéréotypes culturels, beaucoup d'études font état de différences nettes et quantifiables entre Chinois et Occidentaux pour ce qui est de l'éducation des enfants. Dans une enquête portant sur cinquante mères américaines occidentales et quarante-huit mères immigrées chinoises, presque 70 % des mères occidentales déclaraient soit que « mettre l'accent sur la réussite scolaire n'est pas bon pour les enfants », soit que « les parents doivent entretenir l'idée qu'apprendre est amusant ». En revanche, à peu près 0 % des mères chinoises étaient du même avis, et la grande majorité d'entre elles déclarait plutôt croire que leurs enfants sont capables d'être « les meilleurs élèves », que « la réussite scolaire montre que les parents ont bien élevé leurs enfants » et que, si les enfants ne sont pas excellents à école, cela signifie qu'il y a « un problème » et que les parents « n'ont pas fait leur travail ». D'autres études montrent que, comparés à leurs homologues occidentaux, les parents chinois passent grosso modo dix fois plus de temps chaque jour à travailler avec leurs enfants sur les activités scolaires, tandis que les enfants occidentaux, par contraste, sont plus nombreux à participer à des sports collectifs.

Cela m'amène à mon dernier point. Certains penseront peut-être que le parent américain qui pousse son enfant à la compétition sportive est analogue à la mère chinoise. Rien n'est plus faux. Contrairement à la maman occidentale type qui ajoute toujours plus d'heures de football, la mère chinoise croit que : 1) le travail scolaire doit toujours primer ; 2) un A– est une mauvaise note ; 3) vos enfants doivent avoir deux ans d'avance sur leurs camarades de classe en mathématiques ; 4) vous ne devez jamais complimenter vos enfants en public ; 5) si jamais votre enfant n'est pas d'accord avec l'enseignant ou le professeur particulier, vous devez toujours vous ranger du côté de ces derniers ; 6) les seules activités que vos enfants devraient être autorisés à pratiquer sont celles dans lesquelles ils peuvent un jour ou l'autre gagner une médaille ; et 7) cette médaille doit être d'or.

2

SOPHIA

Sophia.

Sophia est ma première-née. Mon mari, Jed, est juif, et moi je suis chinoise, si bien que nos enfants sont sino-judéo-américains, un groupe ethnique qui peut sembler exotique mais qui forme en réalité une majorité dans certains cercles, en particulier dans les villes universitaires.

Le prénom anglais Sophia signifie « sagesse », tout comme Si Hui, le prénom chinois que ma mère lui a donné. Dès sa naissance, Sophia a montré un tempérament raisonnable et une capacité de concentration exceptionnelle — qualités qu'elle a héritées de mon père. Quand elle était bébé, Sophia a rapidement fait ses nuits et ne pleurait jamais sans motif valable. À l'époque, je me démenais pour écrire un article de droit — j'étais en congé et je voulais à tout prix obtenir un poste d'enseignante afin de ne pas être obligée de retourner au cabinet d'avocats de Wall Street pour lequel je travaillais — et Sophia comprit cela à l'âge de deux mois. Calme et contemplative, elle se contenta de dormir, de manger et d'observer chez moi le syndrome de la page blanche, jusqu'à ce qu'elle ait un an.

Sophia était intellectuellement précoce et à dix-huit mois connaissait l'alphabet, ce que notre pédiatre refusait d'admettre, affirmant que ce n'était pas neurologiquement possible et qu'elle ne faisait qu'imiter des sons. Afin de prouver ce qu'il avançait, il sortit un grand tableau difficile à déchiffrer qui présentait l'alphabet déguisé en serpents et autres licornes. Le médecin regarda le tableau, puis Sophia, et reporta son regard sur le tableau où il désigna astucieusement un crapaud portant une chemise de nuit et un béret.

« Q, annonça Sophia d'une voix flûtée.

— Aucun apprentissage », me dit le docteur en grommelant.

Je fus soulagée lorsque arriva la dernière lettre : une hydre avec un tas de langues rouges qui claquaient dans tous les sens et que Sophia identifia correctement comme un *i*.

Sophia excellait à l'école maternelle, en particulier en maths. Tandis que les autres enfants apprenaient à compter de 1 à 10 en suivant la méthode créative américaine — avec des bâtons, des perles et des cônes — j'enseignais à Sophia l'addition, la soustraction, la multiplication, la division, les fractions et les décimales en suivant la méthode chinoise du par cœur. Ce qui était difficile, c'était de donner la bonne réponse en utilisant les bâtons, les perles et les cônes.

Le marché que Jed et moi avons conclu lorsque nous nous sommes mariés était que nos enfants parleraient le chinois mandarin et seraient élevés dans la religion juive. (J'ai reçu une éducation catholique, mais il ne m'était pas difficile d'y renoncer. Le catholicisme est à peine ancré dans ma famille, mais j'y reviendrai plus tard.) Rétrospectivement, c'était un drôle de marché, parce que moi-même je ne parle pas le mandarin — mon dialecte maternel est le hokkien — et Jed n'est absolument pas croyant. Je ne sais pas pourquoi, mais cet arrangement a fonctionné. J'engageai une nourrice chinoise pour qu'elle parle constamment en mandarin avec Sophia, et nous fêtâmes notre première Hanoukka quand Sophia avait deux ans.

À mesure que Sophia grandissait, il semblait qu'elle prenait le meilleur des deux cultures, tirant son esprit curieux et scrutateur du côté juif, tandis que de moi, du côté chinois, elle héritait de capacités — un tas de capacités. Je ne parle pas de compétences innées ou quoi que ce soit de ce genre, mais simplement de compétences acquises par la méthode chinoise appliquée, disciplinée, et qui développe la confiance en soi. À l'âge de trois ans, Sophia lisait Sartre, s'initiait à la théorie des ensembles et savait écrire une centaine de caractères chinois. (Traduction de Jed : elle reconnaissait les mots « sans issue », savait dessiner deux cercles qui se chevauchent et, d'accord, elle connaissait peut-être quelques caractères chinois.) En regardant des parents américains couvrir leurs enfants d'éloges pour la moindre tâche — faire des gribouillis ou agiter un bâton — je finis par faire le constat que les parents chinois ont deux choses de plus que leurs homologues américains : 1) de plus grands rêves pour leurs enfants, et 2) une plus haute estime pour eux, au sens où ils savent de quoi leurs enfants sont capables.

Bien entendu, je souhaitais aussi que Sophia tire profit du meilleur de la société américaine. Je ne voulais pas qu'elle finisse comme l'un de ces bizarres automates asiatiques qui subissent tellement de pression de la part de leurs parents qu'ils se suicident s'ils arrivent deuxièmes au concours national d'entrée dans la fonction publique. Je voulais qu'elle s'épanouisse et qu'elle ait des passe-temps et des activités. Mais pas n'importe quelle activité, comme les « travaux manuels », ce qui ne mène nulle part — ou pire encore, jouer de la batterie, ce qui mène à la drogue —, mais plutôt une activité qui soit enrichissante et très difficile, tout en offrant la possibilité d'atteindre profondeur et virtuosité.

Et c'est là qu'est arrivé le piano.

En 1996, à l'âge de trois ans, Sophia reçut deux nouvelles choses : sa première leçon de piano et une petite sœur.

3

LOUISA

Louisa.

Il y a une chanson de musique country qui dit : « Elle est sauvage derrière son visage angélique. » C'est tout à fait Lulu, ma fille cadette. Quand je pense à elle, c'est l'image d'un cheval sauvage que l'on essaie de dompter qui me vient à l'esprit. Même pendant la grossesse, elle donnait des coups de pied si forts qu'on en voyait l'empreinte sur mon ventre. Lulu s'appelle en réalité Louisa, qui signifie « illustre guerrier ». Je ne sais pas très bien comment nous avons trouvé si vite le prénom de cette enfant-là.

Le nom chinois de Lulu est Si Shan, qui veut dire « corail » et évoque la délicatesse, ce qui correspond aussi à ce qu'elle est. Dès le jour de sa naissance, Lulu eut le palais fin. Elle n'aimait pas le lait maternisé que je lui donnais, et elle fut si indignée par le lait de soja que je trouvai comme solution de rechange qu'elle fit une grève de la faim. Mais contrairement au Mahatma Gandhi, qui était désintéressé et méditatif pendant sa grève de la faim, Lulu avait des coliques, hurlait et griffait violemment pendant des heures toutes les nuits. Jed et moi portions des bouchons d'oreilles et nous arrachions les cheveux jusqu'à ce que notre nourrice chinoise, Grace, vienne heureusement à notre secours en préparant du tofu soyeux braisé dans une sauce légère aux ormeaux et aux champignons parfumés, le tout parsemé de coriandre, que Lulu finit par beaucoup apprécier.

Il est difficile de trouver les mots pour décrire ma relation avec Lulu. « Guerre nucléaire totale » ne rend pas tout à fait l'idée. L'ironie veut que Lulu et moi nous ressemblions beaucoup, car elle a hérité de ma personnalité : colérique, langue de vipère, mais pas rancunière.

À propos de personnalité, je ne crois pas à l'astrologie — et je pense que ceux qui y croient ont de sérieux problèmes — mais le zodiaque chinois décrit Sophia et Lulu *à la perfection*. Sophia est née pendant l'année du Singe, dont les natifs sont des curieux, des intellectuels, qui « peuvent généralement accomplir tout ce qu'ils entreprennent. Ils apprécient tout travail difficile ou qui les met au défi, car ça les stimule ». Par contre, les natifs du Sanglier sont « têtus » et « obstinés », et « sortent souvent de leurs gonds », bien qu'ils « ne gardent jamais rancune », étant fondamentalement honnêtes et affectueux. C'est Lulu trait pour trait.

Je suis née l'année du Tigre et, sans vouloir me vanter ou autre, les natifs du signe sont nobles, intrépides, forts, autoritaires et magnétiques. On les dit également chanceux. Beethoven et Sun Yat-sen étaient tous deux des natifs du Tigre.

Mon premier affrontement avec Lulu eut lieu quand elle avait environ trois ans. C'était par un après-midi d'hiver glacial à New Haven, dans le Connecticut, l'un des jours les plus froids de l'année. Jed était au travail — il enseignait à la faculté de droit de Yale — et Sophia à l'école. Je décidai que ce serait là le moment idéal pour initier Lulu au piano. Tout excitée à l'idée de travailler ensemble — avec ses boucles brunes, ses yeux ronds et son visage de poupée de porcelaine, Lulu était toute mignonne, en apparence — je l'installai sur le tabouret de piano, sur de confortables coussins, puis je lui montrai calmement, à trois reprises, comment jouer une seule note avec un seul doigt, et l'invitai à faire de même. C'était peu demander. Mais Lulu refusa, préférant taper violemment tout un tas de notes en même temps, des deux mains. Quand je la priai d'arrêter, elle frappa encore plus fort et encore plus vite, et quand j'essayai de l'éloigner du piano, elle commença à hurler, à pleurer et à donner des coups de pied comme une furie.

Un quart d'heure plus tard, elle était toujours en train de hurler, de pleurer et de donner des coups de pied, et j'en avais par-dessus la tête. Esquivant ses coups, je traînai le petit démon qui poussait des cris stridents jusqu'à l'entrée du porche de derrière, et j'ouvris grand la porte.

Avec le vent qui soufflait, la température extérieure était de moins six degrés, et j'eus moi-même en quelques secondes le visage endolori au contact de l'air glacé. Mais j'étais résolue à élever une enfant chinoise obéissante — en Occident, l'obéissance est associée aux chiens et au système des castes mais, dans la culture chinoise, elle est considérée comme faisant partie des plus grandes vertus —, et ce même si je devais y laisser ma peau. « Tu ne peux pas rester dans la maison si tu n'écoutes pas maman, lui dis-je d'un ton sévère. Alors, es-tu disposée à être sage ? Ou veux-tu aller dehors ? »

Lulu sortit et se tourna vers moi avec défi.

Une terreur sourde commença à s'infiltrer en moi. Lulu portait seulement un pull-over, une jupe à volants et des collants. Elle s'était arrêtée de pleurer et affichait même un calme inquiétant.

« Bon, c'est bien, tu as décidé d'être sage, dis-je rapidement. Tu peux rentrer maintenant. »

Lulu fit non de la tête.

« Ne fais pas l'idiote, Lulu. (Je paniquais.) Il fait un froid glacial. Tu vas tomber malade. Rentre *immédiatement.* »

Lulu claquait des dents, mais elle fit de nouveau non de la tête. Et c'est à ce moment-là que j'ai compris. C'était clair comme le jour. J'avais sous-estimé Lulu. Pas compris de quoi elle était capable. Elle préférait mourir de froid plutôt que de capituler.

Je devais changer de tactique sur-le-champ ; je ne pouvais pas gagner cette fois-là. En plus de ça, je pouvais être envoyée en prison par les services de protection de l'enfance. Réfléchissant à toute vitesse, je fis machine arrière, et j'étais maintenant en train de la supplier, de la dorloter, de lui promettre des choses pour qu'elle rentre dans la maison. À leur retour, Jed et Sophia trouvèrent une Lulu dans un bain chaud, en train de tremper avec satisfaction un brownie dans un bol fumant de chocolat chaud aux marshmallows.

Mais Lulu m'avait également sous-estimée. J'étais déjà en train de réarmer. Chacune avait choisi son camp, et elle ne s'en doutait même pas.

4

LES CHUA

Mon nom de famille est Chua — Cài en mandarin — et j'adore mon patronyme. Ma famille vient de la province du Fujian, en Chine méridionale, qui est connue pour produire des lettrés et des savants. L'un de mes ancêtres directs du côté de mon père, Chua Wu Neng, était astronome attitré de l'empereur Shen Zong de la dynastie des Ming, ainsi que philosophe et poète. Manifestement doté d'une grande variété de compétences, Wu Neng fut nommé auprès de l'empereur en tant que chef de l'état-major en 1644, lorsque la Chine était sous la menace d'une invasion mandchoue. La relique la plus précieuse de notre famille — à vrai dire, la seule que nous ayons — est un traité de deux mille pages, écrit à la main par Wu Neng, interprétant le *Yijing*, ou *Livre des mutations*, qui est l'un des plus anciens textes classiques chinois. Un exemplaire relié en cuir du traité de Wu Neng — avec l'idéogramme de « Chua » sur la couverture — se trouve maintenant en évidence sur la table basse de ma salle de séjour.

Tous mes grands-parents sont nés dans le Fujian, mais ils embarquèrent à différents moments dans les années 1920 et 1930 sur des navires à destination des Philippines, où l'on disait qu'il était plus facile de tenter sa chance. Le père de ma mère était un enseignant doux et gentil qui devint marchand de riz pour subvenir aux besoins de sa famille. Il n'était pas croyant, ni très bon en affaires. Sa femme, ma grand-mère, était d'une grande beauté et une bouddhiste fervente. Malgré les enseignements antimatérialistes de Bodhisattva Guanyin, elle aurait souhaité que son mari fût plus prospère.

Le père de mon père, un débonnaire marchand de pâte de poisson, n'était lui non plus ni croyant, ni très bon en affaires. Sa femme, ma grand-mère Dragon, fit fortune après la Seconde Guerre mondiale en se lançant dans le plastique et en investissant les bénéfices dans les lingots d'or et les diamants. Après être devenue riche — compter Johnson & Johnson parmi ses clients pour la fabrication de récipients fut la clé du succès — elle emménagea dans une grande hacienda de l'un des quartiers les plus prestigieux de Manille. Ma grand-mère et mes oncles commencèrent à acheter des vitraux de Tiffany, des toiles de Mary Cassatt et de Braque, et des copropriétés à Honolulu. Ils se convertirent aussi au protestantisme et commencèrent à se servir de fourchettes et de cuillers au lieu de baguettes, pour ressembler davantage aux Américains.

Née en Chine en 1936, ma mère arriva aux Philippines avec sa famille lorsqu'elle avait deux ans. Elle perdit son frère nouveau-né pendant l'occupation nippone, et je n'oublierai jamais sa description des soldats japonais tenant les mâchoires de mon oncle ouvertes, le forçant à avaler de l'eau, et plaisantant sur le fait qu'il allait exploser comme un ballon trop rempli. Lorsque le général Douglas MacArthur libéra les Philippines en 1945, ma mère se souvient d'avoir couru derrière les jeeps américaines en hurlant de joie, tandis que les soldats américains leur lançaient des boîtes de conserve de Spam. Après la guerre, ma mère fréquenta un lycée dominicain où elle se convertit au catholicisme, puis elle termina ses études supérieures, première de sa promotion avec mention très bien, à l'université de Santo Tomas où elle obtint un diplôme en génie chimique.

C'était mon père qui voulait émigrer en Amérique. Brillant en mathématiques, amoureux d'astronomie et de philosophie, il détestait l'univers rapace et déloyal du commerce des plastiques de sa famille, et il brava tout ce qu'ils projetaient pour lui. Même quand il était enfant, il voulait à tout prix aller en Amérique, si bien que ce fut la réalisation d'un rêve lorsque le Massachusetts Institute of Technology (MIT) accepta sa demande d'inscription. Il demanda ma mère en mariage en 1960 et, plus tard dans l'année, mes parents arrivèrent à Boston sans connaître qui que ce soit dans le pays. Ne vivant que de leurs bourses d'études, ils n'avaient pas les moyens de se chauffer pendant leurs deux premiers hivers et portaient des couvertures pour se tenir chaud. Mon père obtint son doctorat en moins de deux ans et devint professeur associé à l'université Purdue à West Lafayette, dans l'Indiana.

Ayant grandi dans le Midwest, mes trois sœurs cadettes et moi-même avons toujours su que nous étions différentes des autres. Toutes honteuses, nous apportions de la nourriture chinoise dans des thermos à l'école ; j'aurais tellement préféré manger un sandwich au saucisson comme tout le monde ! Nous étions tenues de parler chinois à la maison — la punition consistait en un coup de baguette pour chaque mot anglais prononcé par mégarde. Nous travaillions assidûment les mathématiques et le piano tous les après-midi, et n'avions jamais la permission de dormir chez les copines. Tous les soirs, quand mon père rentrait du travail, je lui retirais ses chaussures et ses chaussettes, et je lui amenais ses pantoufles. Nos bulletins scolaires devaient être irréprochables ; si nos amis étaient récompensés pour leurs B, il nous était impensable d'obtenir un A–. À la fin du collège, je fus classée deuxième à un concours d'histoire et j'amenai ma famille à la cérémonie de remise de prix. Quelqu'un d'autre avait remporté le prix Kiwanis du meilleur étudiant toutes matières confondues. Mon père me dit ensuite : « Ne me déshonore plus jamais de la sorte. Plus jamais ! »

Lorsque mes amis entendent ces histoires, ils imaginent souvent que j'ai eu une enfance épouvantable. Mais ce n'est pas vrai du tout ; j'ai trouvé de la force et de la confiance dans ma drôle de famille. Nous avons démarré tous ensemble en tant qu'étrangers, nous avons découvert tous ensemble l'Amérique ; ce faisant, c'est ensemble que nous nous sommes américanisés. Je me souviens de mon père travaillant toutes les nuits jusqu'à trois heures du matin, avec une telle volonté de réussir qu'il ne nous remarquait même pas quand nous entrions dans la pièce. Mais je me souviens aussi combien il s'enthousiasmait lorsqu'il nous initiait aux tacos, aux hamburgers à la viande hachée *sloppy joes*, aux fast-foods Dairy Queen et aux buffets à volonté, sans parler de la luge, du ski, de l'alpinisme et du camping. Je me souviens d'un garçon à l'école primaire qui parodiait les yeux bridés devant moi et s'esclaffait en singeant ma façon de prononcer « restaurant » en accentuant la deuxième syllabe au lieu de la première (rest-AU-rant) — c'est à ce moment précis que je jurai de me débarrasser de mon accent chinois. Mais je me souviens aussi des *girl scouts* et des hula hoops, des patins à roulettes et des bibliothèques municipales, de ma victoire à un concours de rédaction sur les Filles de la Révolution américaine, et de notre fierté le jour où mes parents furent naturalisés.

En 1971, mon père accepta une offre de l'université de Californie à Berkeley, alors nous avons fait nos valises et sommes partis nous installer dans l'Ouest. Mon père se laissa pousser les cheveux et porta des vestes avec des symboles de paix. Puis il s'intéressa au vin et se construisit une cave pouvant accueillir une collection de mille bouteilles. Comme il devenait de plus en plus connu dans le monde entier pour ses travaux sur la théorie du chaos, nous avons commencé à voyager autour de la planète. Je passai une année scolaire dans des lycées de Londres, Munich et Lausanne, et mon père nous emmena au cercle polaire.

Mais mon père était aussi un patriarche chinois. Lorsque arriva le moment de faire une demande d'inscription à l'université, il déclara que j'allais vivre à la maison et fréquenter Berkeley (où mon dossier avait déjà été accepté), et il n'y avait pas à discuter — pas de visites sur les campus ni de choix déchirants pour moi. Lui désobéissant, comme il avait désobéi à sa famille, j'imitai sa signature et envoyai en secret une demande d'inscription dans une université de la côte Est dont j'avais entendu parler. Lorsque je lui dis ce que j'avais fait — et que Harvard m'avait acceptée — la réaction de mon père me surprit : il passa de la colère à la fierté, littéralement du jour au lendemain. Il fut tout aussi fier lorsque j'obtins ensuite mon diplôme à la faculté de droit de Harvard et lorsque Michelle, sa deuxième fille, termina ses études à l'université Yale et à la faculté de droit de Yale. Il était plus fier que jamais (mais peut-être aussi un peu chagriné) lorsque Katrin, sa troisième fille, quitta le foyer pour Harvard, où elle obtint son master et son doctorat.

L'Amérique transforme les gens. Quand j'avais quatre ans, mon père me dit : « Il est hors de question que tu te maries avec un non-Chinois. » Mais je me suis finalement mariée avec Jed, et mon mari et mon père sont aujourd'hui les meilleurs amis du monde. Quand j'étais petite, mes parents n'avaient aucune compassion pour les personnes handicapées. Dans beaucoup de pays asiatiques, les handicaps sont perçus comme honteux, alors quand ma plus jeune sœur Cynthia est née avec une trisomie 21, ma mère pleura sans cesse les premiers temps, et certaines personnes de ma famille nous incitèrent à envoyer Cindy dans une institution aux Philippines. Mais ma mère fut mise en contact avec des éducateurs spécialisés et d'autres parents d'enfants handicapés, et elle passait bientôt des heures à faire patiemment des puzzles avec Cindy et à lui apprendre à dessiner. Quand Cindy commença l'école primaire, ma mère lui apprit à lire et lui fit faire des exercices intensifs pour qu'elle apprenne les tables de multiplication. Aujourd'hui, Cindy détient deux médailles d'or en natation aux Jeux olympiques spéciaux.

J'éprouve un très léger regret de ne pas avoir épousé un Chinois et je m'inquiète un peu de me voir délaisser quatre mille ans de civilisation. Mais je ressens surtout une immense gratitude pour la liberté et la possibilité de créativité que l'Amérique m'a offertes. Mes filles ne se sentent pas comme des étrangères en Amérique, alors que ça m'arrive encore quelquefois. Mais pour moi, ce n'est pas tant un fardeau qu'un privilège.

5

SUR LE DÉCLIN GÉNÉRATIONNEL

Mes courageux parents et moi,
tout juste née, deux ans après
leur arrivée en Amérique.

L'une de mes plus grandes craintes est le déclin de la famille. Il y a un vieux dicton chinois qui dit que « la prospérité ne dure jamais trois générations ». Je parie que, si des gens capables de mener des études empiriques conduisaient une enquête longitudinale sur les performances intergénérationnelles, ils trouveraient un modèle extrêmement répandu parmi les immigrés chinois assez chanceux pour être venus aux États-Unis, comme étudiants en troisième cycle ou travailleurs qualifiés, au cours des cinquante dernières années. Le modèle prendrait à peu près la forme suivante :

- La génération immigrée (comme celle de mes parents) est celle qui travaille le plus dur. Beaucoup auront débuté aux États-Unis presque sans le sou, mais ils travailleront sans relâche jusqu'à devenir de brillants ingénieurs, scientifiques, docteurs, universitaires ou entrepreneurs. En tant que parents, ils seront extrêmement stricts et fanatiquement économes. (« Ne jette pas ces restes ! Pourquoi utilises-tu autant de liquide vaisselle ? Tu n'as pas besoin d'aller dans un salon de beauté : je peux te couper les cheveux encore mieux. ») Ils investiront dans l'immobilier, boiront peu et consacreront toute leur énergie et tout leur argent à assurer l'éducation et l'avenir de leurs enfants.
- La génération suivante (la mienne), la première à être née en Amérique, réussira généralement très bien. La plupart joueront du piano et/ou du violon, et fréquenteront l'une des prestigieuses universités de l'*Ivy League* ou l'une des dix meilleures institutions du pays. Ils exerceront plutôt des professions libérales — avocats, médecins, banquiers, présentateurs télé — et gagneront mieux leur vie que leurs parents, mais c'est en partie parce qu'ils auront démarré avec plus d'argent et que leurs parents en auront investi tellement pour eux. Ils seront moins frugaux et apprécieront les cocktails. S'il s'agit de filles, elles se marieront souvent avec un Blanc. Qu'ils soient garçons ou filles, ils seront aussi stricts avec leurs enfants que leurs parents l'ont été avec eux.
- La génération suivante (celle de Sophia et Lulu) est celle pour laquelle je me tracasse tellement que j'en perds le sommeil. En raison du dur labeur de leurs parents et grands-parents, cette génération naîtra avec tout le confort de la classe moyenne supérieure. Dès l'enfance, ils posséderont de nombreux livres reliés (un luxe presque criminel du point de

> vue des parents immigrés), auront des amis riches qui sont payés pour obtenir des B+, et fréquenteront ou non des écoles privées, mais, dans un cas comme dans l'autre, ils s'attendront qu'on leur achète de coûteux vêtements de marque. Enfin, et de façon plus problématique, ils sentiront qu'ils ont des droits individuels protégés par la Constitution américaine et, par conséquent, seront bien plus susceptibles de désobéir à leurs parents et de ne pas suivre leurs conseils sur leur avenir professionnel. En bref, tous les facteurs montrent que cette génération se dirige tout droit vers le déclin.

Eh bien, pas tant que je monte la garde. Dès que Sophia est née et que j'ai scruté son joli visage éveillé, j'étais résolue à ce que ça ne lui arrive pas, résolue à ne pas élever une enfant molle qui se réfugierait derrière des droits — à ne pas laisser ma famille s'effondrer.

C'est l'une des raisons pour lesquelles je tenais absolument à ce que Sophia et Lulu apprennent la musique classique. Je savais que je ne pouvais pas artificiellement faire en sorte qu'elles se sentent comme des enfants pauvres immigrés. Il n'y avait aucun moyen de contourner le fait que nous vivions dans une grande maison ancienne, possédions deux bonnes voitures et passions nos vacances dans des hôtels confortables. Mais ce dont je *pouvais* m'assurer, c'était que Sophia et Lulu auraient plus de profondeur et de culture que mes parents et moi. La musique classique était l'opposé du déclin, le contraire de la paresse, de la vulgarité et du laxisme. C'était un moyen pour que mes enfants réussissent ce à quoi je n'étais pas parvenue, mais c'était aussi un lien avec la haute culture traditionnelle de mes lointains ancêtres.

Ma campagne antidéclin comportait également d'autres ingrédients. Tout comme mes parents, j'exigeais que Sophia et Lulu parlent parfaitement le chinois et qu'elles obtiennent les meilleures notes dans toutes les matières. « Vérifiez toujours trois fois vos réponses à vos exercices, leur disais-je. Cherchez chaque mot que vous ne connaissez pas dans le dictionnaire et mémorisez la définition exacte. » Pour que Sophia et Lulu ne soient pas dorlotées et décadentes comme les Romains l'étaient lorsque leur empire s'effondra, j'insistais aussi pour qu'elles fassent des travaux physiques.

« Quand j'avais quatorze ans, j'ai creusé toute seule une piscine pour mon père avec une pioche et une pelle », racontais-je à mes filles plus d'une fois. Et c'est la vérité. La piscine ne faisait qu'un mètre de profondeur sur trois mètres de diamètre et elle était vendue en kit, mais je l'ai bel et bien creusée dans le jardin derrière une cabane que mon père avait achetée près du lac Tahoe après avoir économisé pendant des années. « Tous les samedis matin, aimais-je aussi leur rebattre les oreilles, je passais l'aspirateur dans la moitié de la maison tandis que ma sœur faisait l'autre moitié. Je nettoyais les toilettes, désherbais la pelouse et coupais du bois. Une fois j'ai construit un jardin minéral pour mon père et j'ai dû porter des rochers qui pesaient plus de vingt kilos chacun. Voilà pourquoi je suis si robuste. »

Dans la mesure où je voulais qu'elles travaillent la

musique autant que possible, je ne demandais pas à mes filles de couper du bois ou de creuser une piscine. Mais j'essayais vraiment de leur faire porter de lourds objets — monter et descendre les escaliers avec des paniers remplis de linge à ras bord, sortir la poubelle le dimanche, s'occuper des valises en voyage — dès que l'occasion s'en présentait. Chose intéressante, Jed faisait instinctivement le contraire. Ça l'ennuyait de voir les filles plier sous leur chargement, et il s'inquiétait toujours pour leur dos.

En donnant ces leçons aux filles, je me remémorais toujours ce que m'avaient dit mes propres parents. « Sois modeste, sois humble, sois simple, houspillait ma mère. Le dernier arrivera le premier. » Ce qu'elle voulait vraiment dire, c'était bien entendu : « Assure-toi d'arriver la première afin de pouvoir faire preuve d'humilité. » L'un des principes fondamentaux de mon père était : « Ne te plains jamais ou ne te cherche jamais d'excuses. Si quelque chose te semble injuste à l'école, fais tes preuves en travaillant deux fois plus et en étant deux fois meilleure. » J'ai également essayé de transmettre ces principes à Sophia et à Lulu.

Dernière chose, j'essayais de demander autant de respect de la part de mes filles que mes parents en avaient exigé de moi. C'est là où j'ai le moins bien réussi. Quand j'étais petite, j'avais une peur folle que mes parents ne me désapprouvent. Ce n'est pas vraiment le cas de Sophia, ni surtout de Lulu. L'Amérique semble insuffler aux gamins quelque chose que la culture chinoise ne transmet pas. Dans la culture chinoise, les enfants n'auraient pas même l'idée de douter de leurs parents, de leur désobéir ou de leur répondre. Dans la culture américaine, les gosses — dans les livres, les émissions de télévision et les films — marquent des points par leurs reparties impertinentes et leur tempérament indépendant. Généralement, ce sont les parents qui doivent recevoir une leçon de vie… de leurs enfants.

6

LE CERCLE VERTUEUX

Les trois premiers professeurs de piano de Sophia n'ont pas convenu. La première, que Sophia rencontra quand elle avait trois ans, était une vieille Bulgare renfrognée qui s'appelait Elina et vivait dans notre quartier. Elle portait une jupe informe, des bas qui lui arrivaient aux genoux, et sur les épaules, semblait-il, tous les malheurs du monde. Son idée d'une leçon de piano était de venir chez nous et de jouer elle-même de l'instrument pendant une heure, tandis que Sophia et moi, assises sur le canapé, écoutions les affres de son angoisse. Lorsque le premier cours prit fin, j'avais envie de me mettre la tête dans le four ; de son côté, Sophia était en train de jouer avec des poupées en papier. Je redoutais terriblement de dire à Elina que ça n'allait pas marcher, de peur qu'elle ne se jette en pleurant par-dessus un parapet. Alors je lui dis que nous avions vraiment très hâte d'avoir une autre leçon et que je la recontacterais bientôt.

Le professeur que nous avons ensuite essayé était une petite créature bizarre qui répondait au nom de MJ, portait les cheveux courts et des lunettes rondes cerclées de métal, et avait été dans l'armée. Nous n'arrivions pas à dire s'il s'agissait d'un homme ou d'une femme, mais MJ portait toujours un costume et un nœud papillon, et j'appréciais sa neutralité de style. MJ nous dit à notre première rencontre que Sophia était incontestablement douée pour la musique. Malheureusement, ce nouveau professeur disparut au bout de trois semaines. Un jour, nous arrivions comme d'habitude à son domicile pour prendre une leçon, mais à la place de MJ — dont il n'y avait aucune trace — se trouvaient trois inconnus installés dans la maison avec de tout autres meubles.

Le troisième professeur était un musicien de jazz nommé Richard qui avait la voix douce et les hanches larges. Il me dit qu'il avait une fille de deux ans. Lors de notre première rencontre, il nous fit, à Sophia et à moi-même, tout un cours sur l'importance de vivre le moment présent et de jouer pour soi-même. Contrairement aux professeurs traditionnels, il disait ne pas croire en l'utilisation de livres écrits par d'autres, et mettrait plutôt l'accent sur l'improvisation et l'expression libre. Richard racontait qu'il n'y avait pas de règles en musique mais seulement ce qui sonnait bien, et que personne n'avait le droit de vous juger, et que le monde du piano avait été détruit par le commerce et la concurrence acharnée. Le pauvre, je suppose qu'il n'était pas très doué.

En tant que fille aînée d'immigrés chinois, je n'ai pas le temps d'improviser ou d'inventer mes propres règles. J'ai un nom de famille à défendre, des parents vieillissants à enorgueillir. J'aime les objectifs clairs et les moyens clairs d'évaluer la réussite.

C'est pourquoi la méthode Suzuki d'enseignement du piano me plaisait. Il y a sept volumes et tout le monde doit commencer par le premier. Chaque volume comprend dix à quinze morceaux qu'il faut apprendre dans l'ordre. De nouveaux morceaux sont donnés chaque semaine aux enfants qui travaillent dur, tandis que ceux qui ne répètent pas restent bloqués sur le même morceau pendant des semaines, voire des mois, et finissent parfois par abandonner parce qu'ils s'ennuient à mourir. En tout cas, l'essentiel est que certains enfants viennent à bout des livres Suzuki *bien plus vite que d'autres*. De sorte qu'un enfant de quatre ans qui travaille dur peut être en avance sur un enfant de six ans, tandis qu'un enfant de six ans peut prendre une large avance sur un jeune de seize ans, et ainsi de suite — c'est pourquoi la méthode Suzuki est connue pour produire des « enfants prodiges ».

C'est ce qui s'est passé avec Sophia. Au moment où elle fêtait ses cinq ans, nous avions déjà pris nos habitudes avec une fabuleuse prof de Suzuki qui s'appelait Michelle et qui avait un grand studio de piano dans un conservatoire de New Haven connu sous le nom de Neighborhood Music School. Patiente et perspicace, Michelle comprenait Sophia — elle se rendait compte de ses aptitudes mais voyait au-delà — et ce fut Michelle qui lui insuffla l'amour de la musique.

La méthode Suzuki était idéale pour Sophia. Elle apprenait vraiment très vite et était capable de rester longtemps concentrée. Elle avait aussi un grand avantage culturel : la plupart des autres élèves de l'école avaient des parents occidentaux libéraux qui se montraient velléitaires et indulgents quand il s'agissait de répéter. Je me souviens d'une fille nommée Aubrey qui devait jouer un nombre de minutes correspondant à son âge. Elle avait sept ans. D'autres enfants étaient payés pour répéter, à coups d'énormes coupes glacées ou de grosses boîtes de jeux Lego, et beaucoup étaient complètement dispensés de travailler les jours où ils avaient cours.

Une caractéristique clé de l'approche Suzuki est qu'on attend du parent qu'il soit présent à toutes les leçons et qu'il dirige ensuite les répétitions à la maison. Ce qui signifiait que je me trouvais aux côtés de Sophia chaque fois qu'elle était au piano et que je faisais moi aussi mon apprentissage. J'avais pris des leçons de piano quand j'étais enfant, mais mes parents n'avaient pas assez d'argent pour engager de bons profs, de sorte que je me suis retrouvée à apprendre le piano avec une voisine qui organisait parfois, pendant ma leçon, des démonstrations-ventes de Tupperware à domicile. Avec le professeur de Sophia, je commençais à apprendre toutes sortes de choses sur la théorie et l'histoire de la musique, dont je n'avais rien su jusque-là.

Avec moi à ses côtés, Sophia répétait au moins une heure et demie tous les jours, y compris les week-ends, et deux fois plus longtemps les jours où elle avait cours. Je demandais à Sophia de tout mémoriser, même si ce n'était pas exigé, et je ne lui donnais jamais le moindre sou.

C'est ainsi que nous avons pulvérisé tous ces volumes Suzuki en un temps record, pendant que d'autres parents visaient un volume par an. Nous avons commencé par les variations de *Ah ! vous dirai-je, maman* (volume I) ; trois mois plus tard Sophia jouait du Schumann (volume II) ; six mois plus tard, elle jouait une sonatine de Clementi (volume III). Et je trouvais encore que nous allions trop lentement.

Le moment semble être approprié pour que j'avoue quelque chose. En vérité, ce n'était pas toujours agréable pour Sophia de m'avoir comme mère. D'après Sophia, voilà trois choses que je lui ai dites pendant qu'elle était au piano et que je supervisais ses répétitions :

1. Oh ! mon Dieu, tu joues de plus en plus mal.
2. Je vais compter jusqu'à trois, et à trois je veux de la *musicalité* !
3. Si ce n'est pas IMPECCABLE la prochaine fois, je vais *PRENDRE TOUS TES ANIMAUX EN PELUCHE ET LES BRÛLER* !

Rétrospectivement, mes suggestions de répétitrice semblent un peu excessives ; d'un autre côté, elles étaient très efficaces. Comme mère et fille, Sophia et moi nous accordions parfaitement. J'avais la conviction et la volonté farouche d'arriver au but. Sophia avait la maturité, la patience et l'empathie que j'aurais dû avoir, mais dont j'étais dépourvue. Elle acceptait le principe que je savais et voulais ce qu'il y avait de mieux pour elle — et elle me laissait tranquille quand j'étais de mauvaise humeur ou que je lui disais des choses blessantes.

À l'âge de neuf ans, Sophia remporta un prix de piano dans un concours local en jouant un morceau intitulé « Papillon » du compositeur norvégien Edvard Grieg. Il s'agit de l'une des soixante-six *Pièces lyriques* de Grieg, qui sont des compositions miniatures dont chacune est censée évoquer une image ou un état d'esprit particulier. « Papillon » est supposé être léger et insouciant — et il faut s'éreinter à répéter pendant des heures et des heures pour réussir à faire passer ces émotions.

Ce que les parents chinois comprennent, c'est que rien n'est amusant tant qu'on n'a pas un bon niveau et que, pour devenir bon en quoi que ce soit, il faut travailler. Or, tout seuls les enfants ne veulent jamais travailler, c'est pourquoi il est essentiel de ne pas tenir compte de leurs préférences. Cela requiert souvent du courage de la part des parents car l'enfant résistera ; les choses sont toujours plus difficiles au début, or c'est là que les parents occidentaux ont tendance à abandonner. Mais si elle est suivie correctement, la stratégie chinoise produit un cercle vertueux. Répéter avec ténacité, encore et toujours, est crucial pour atteindre l'excellence ; l'apprentissage par cœur est sous-estimé en Amérique. Dès qu'un enfant commence à exceller dans quelque chose — qu'il s'agisse des mathématiques, du piano, du lancer au base-ball ou du ballet — il obtient félicitations, admiration et satisfaction. Cela forge la confiance et rend amusante une activité qui ne l'était pas auparavant, facilitant, en retour, la tâche des parents quand il va falloir faire travailler encore plus l'enfant.

Au concert des lauréats où se produisit Sophia, tandis que je regardais ses doigts habiles tomber de-ci de-là sur le piano en voletant comme des ailes de papillon, j'étais remplie de fierté, d'euphorie et d'espoir. Je mourais d'impatience d'être au lendemain pour continuer de travailler avec Sophia et qu'on apprenne encore plus de musique ensemble.

7

LA CHANCE DU TIGRE

Jed et moi,
le jour de notre mariage.

Comme toute Asio-Américaine qui approche de la trentaine, j'avais l'idée d'écrire une saga sur les relations mère-fille, couvrant plusieurs générations et librement inspirée de l'histoire de ma propre famille. C'était avant la naissance de Sophia, quand je vivais à New York et que j'essayais de comprendre ce que je faisais dans un cabinet d'avocats de Wall Street.

Dieu merci, je suis quelqu'un de chanceux, car toute ma vie j'ai pris d'importantes décisions pour de mauvaises raisons. Je commençai par étudier les mathématiques appliquées à Harvard car je pensais que ça ferait plaisir à mes parents ; je laissai tomber après que mon père, en me voyant me démener pour résoudre un problème, m'eut dit que c'était trop difficile pour moi, et ce faisant il me sauvait. Mais ensuite je passai machinalement à l'économie parce que ça semblait vaguement scientifique. J'écrivis mon mémoire de master sur les modèles de trajets entre les lieux de résidence et de travail chez les familles à deux revenus, et trouvais le sujet tellement ennuyeux que je n'arrivais jamais à me souvenir de ma conclusion.

Je m'inscrivis en droit surtout parce que je ne voulais pas faire médecine. Je réussissais bien à la fac de droit, en travaillant comme une forcenée, et je parvins même à entrer au sein de la très compétitive *Harvard Law Review*, où je rencontrai Jed et dont je devins rédactrice en chef. Mais je craignais toujours que le droit ne soit pas vraiment ma vocation. Je ne m'intéressais pas aux droits des criminels comme d'autres le faisaient, et j'étais tétanisée chaque fois qu'un professeur m'interrogeait. Je n'étais pas non plus d'une nature sceptique et curieuse ; je voulais juste écrire tout ce que disait le professeur et l'apprendre par cœur.

Après l'obtention de mon diplôme, j'allai dans un cabinet d'avocats parce que c'était la solution de facilité, et je choisis un cabinet d'avocats d'affaires parce que je n'aimais pas les litiges. À vrai dire, je faisais mon travail convenablement. Ça ne m'ennuyait jamais de travailler pendant des heures, et je comprenais bien les souhaits des clients que je savais traduire juridiquement. Mais tout au long des trois ans que je passai au cabinet d'avocats, j'eus l'impression de jouer la comédie et d'être ridicule dans mon costume. Au cours des séances de rédaction d'actes qui duraient toute la nuit avec des banquiers d'investissement, tandis que tout le monde s'énervait sur les menus détails d'une affaire de plusieurs milliards de dollars, je me retrouvais l'esprit vagabond à songer au dîner, et j'étais absolument incapable de me soucier de savoir si la phrase

> Toute déclaration contenue dans un document intégré par renvoi dans les présentes, ou réputé l'être, sera réputée modifiée ou remplacée pour les besoins du présent prospectus, dans la mesure où une déclaration contenue dans les présentes ou dans tout autre document déposé par la suite qui est également intégré par renvoi aux présentes, ou réputé l'être, modifie ou remplace la déclaration en question

devait être précédée de « À la connaissance de la société ».

Jed, au contraire, adorait le droit, et le contraste rendait mon inadaptation encore plus flagrante. À son cabinet d'avocats, qui était spécialisé dans les rachats de la fin des années 1980, il adorait rédiger des dossiers et soulever des litiges, et il obtenait de grands succès. Puis il travailla au bureau du procureur fédéral et poursuivit des mafieux en justice, ce qu'il adora aussi. Pour s'amuser, il écrivit un article d'une centaine de pages sur le droit de la vie privée — ça lui est venu comme ça — qui fut accepté par la même *Harvard Law Review* où nous avions travaillé quand nous étions étudiants (et qui ne publie presque jamais d'articles par des gens qui ne sont pas professeurs). Et, tout d'un coup, Jed reçut un appel du doyen de la faculté de droit de Yale et — même si c'était moi qui avais toujours voulu faire une carrière universitaire (parce que c'est ce qu'a fait mon père, je suppose) — il obtint un poste en tant que professeur de droit à Yale l'année qui précéda la naissance de Sophia. C'était un poste de rêve pour Jed. Il était l'unique cadet du corps enseignant, le jeune prodige entouré de brillants collègues qui pensaient comme lui.

Je m'étais toujours considérée comme quelqu'un d'imaginatif avec plein d'idées mais, en présence des collègues de Jed, mon cerveau s'embourbait. Quand nous avons emménagé à New Haven pour la première fois — j'étais enceinte de Sophia et en congé de maternité — Jed dit à ses amis à la faculté que je songeais également à entrer à l'université. Mais, lorsqu'ils demandèrent quelles étaient les questions juridiques qui m'intéressaient, j'eus l'impression d'être la victime d'un accident vasculaire cérébral. J'étais tellement nerveuse que j'étais incapable de penser ou de parler et, quand je me forçai à ouvrir la bouche, je ne baragouinai que des phrases confuses avec des mots étranges placés bizarrement.

C'est à ce moment-là que je décidai d'écrire une saga. Malheureusement, je n'avais aucun talent pour l'écriture romanesque, comme j'aurais dû le comprendre aux toussotements polis et aux rires forcés de Jed à la lecture du manuscrit. De surcroît, Maxine Hong Kingston, Amy Tan et Jung Chang m'avaient toutes devancée avec leurs livres *The Woman Warrior*, *Le Club de la chance* et *Les Cygnes sauvages*. Au début, j'étais pleine d'amertume et de ressentiment, mais je finis par m'en remettre et j'eus une nouvelle idée. En associant mon diplôme de droit avec l'expérience de ma propre famille, j'écrirais sur le droit et l'ethnicité dans les pays en voie de développement — l'ethnicité était de toute façon mon sujet de conversation préféré. Le droit et le développement, que très peu de gens étudiaient alors, deviendraient ma spécialité.

Les astres étaient bien alignés. Juste après la naissance de Sophia, j'écrivis un article sur la privatisation, la nationalisation et l'ethnicité en Amérique du Sud et dans le Sud-Est asiatique, que la *Columbia Law Review* accepta pour publication. Forte de cet article, je présentai ma candidature pour des postes d'enseignement du droit dans tout le pays. Avec une audace stupéfiante, j'acceptai lorsque le comité de recrutement de Yale me convia à un entretien. Je les rencontrai à déjeuner au Mory's Temple Bar, une effrayante institution de Yale, et je demeurai tellement muette que deux professeurs s'excusèrent rapidement, tandis que le doyen de la faculté de droit passa les deux heures restantes à souligner les influences italiennes sur l'architecture de New Haven.

On ne me demanda pas de revenir pour rencontrer l'ensemble des enseignants de la faculté de droit de Yale, ce qui signifiait que j'avais raté le déjeuner. En d'autres termes, j'avais été refusée par les collègues de Jed. Ce n'était pas l'idéal — et ça compliqua un peu nos relations sociales.

Mais je passai ensuite une autre très longue période

sans travailler. Sophia avait deux ans quand la faculté de droit de l'université Duke me proposa un poste que, follement heureuse, j'acceptai sur-le-champ. Et nous avons donc déménagé à Durham, en Caroline du Nord.

8

L'INSTRUMENT DE LULU

Lulu et son premier violon.

J'adorais Duke. Mes collègues étaient généreux, sympathiques et intelligents, et nous nous sommes fait de nombreux amis. Le seul ennui était que Jed travaillait toujours à Yale qui se trouvait à huit cents kilomètres de là. Mais on s'est arrangés pour que ça marche, passant certaines années à Durham, d'autres à New Haven et Jed faisant l'essentiel des navettes.

En 2000, Sophia avait sept ans et Lulu quatre ans, quand je reçus une invitation de la faculté de droit de l'université de New York à y passer un semestre. L'idée de quitter Duke ne me plaisait pas du tout, mais New York était bien plus proche de New Haven, alors nous avons bouclé nos valises et emménagé à Manhattan pour six mois.

Ce furent six mois de stress. Dans le monde de l'enseignement du droit, être « invité » à passer un semestre dans une faculté équivaut à une période d'essai. C'est grosso modo un entretien d'embauche qui dure tout un semestre, pendant lequel vous essayez d'impressionner tout le monde en montrant combien vous êtes intelligent, tout en leur cirant les pompes (« J'ai cependant un compte à régler avec vous, Bertram. Votre paradigme révolutionnaire n'aurait-il pas en réalité une portée encore plus considérable que ce que vous escomptiez ? » Ou encore : « Je ne suis pas sûre d'être encore totalement convaincue par la note 81 de votre article “Le droit et Lacan”, qui est extrêmement téméraire — cela vous ennuierait-il que je le donne à lire à mes étudiants ? »).

Pour ce qui est des écoles, Manhattan était à la hauteur de sa terrifiante réputation. Jed et moi découvrions l'univers des écoliers se préparant pour l'examen d'entrée à l'université et celui des tout-petits, tout juste en âge de marcher, ayant des fonds en fidéicommis et leurs propres portfolios photographiques. En définitive, décision fut prise d'envoyer Sophia dans une école publique, la numéro 3, qui se trouvait dans notre rue juste en face de l'appartement que nous avions pris en location. Toutefois, pour que Lulu entre en maternelle, il fallait qu'elle passe une série de tests.

À l'école maternelle où je voulais vraiment l'inscrire et qui se trouvait dans une belle église avec des vitraux, la directrice des admissions revint avec Lulu au bout de seulement cinq minutes, car elle voulait avoir la confirmation que Lulu ne savait pas compter — non pas que cela posât un quelconque problème, mais elle voulait simplement s'en assurer.

« Oh ! mon Dieu, évidemment qu'elle sait compter ! m'exclamai-je, horrifiée. Laissez-moi un instant avec elle. »

Je pris ma fille à part. « Lulu ! sifflai-je. Mais qu'est-ce que tu fabriques ? On n'est pas en train de jouer.

— Je compte seulement dans ma tête, dit Lulu en fronçant les sourcils.

— Tu ne dois pas juste compter dans ta tête. Il faut que tu comptes à voix haute pour montrer à la dame que tu sais compter ! Elle est en train de te faire passer un *test*. Ils ne te laisseront pas entrer dans cette école si tu ne leur montres pas.

— Je ne veux pas aller dans cette école. »

Comme je l'ai déjà mentionné, je ne pense pas qu'on doive acheter l'obéissance des enfants à coups de cadeaux. L'Organisation des Nations unies et l'Organisation de coopération et de développement économiques ont toutes deux ratifié des conventions internationales contre la corruption ; de plus, ce serait plutôt aux enfants de payer leurs parents. Mais j'étais prête à tout. « Lulu, chuchotai-je, si tu fais ça, je te donnerai une sucette et je t'emmènerai à la librairie. »

Je traînai Lulu vers la dame. « Elle est prête maintenant », annonçai-je joyeusement.

Cette fois-ci, la directrice des admissions m'autorisa à accompagner Lulu dans la salle d'examen. Elle plaça quatre cubes sur la table et demanda à Lulu de les compter.

Lulu jeta un œil sur les cubes et dit ensuite : « Onze, six, dix, *quatre.* »

Mon sang se figea. Je songeai à empoigner Lulu et à déguerpir, mais la directrice ajoutait calmement quatre cubes de plus à la pile. « Et maintenant, Lulu, peux-tu compter ceux-là ? »

Lulu fixa les cubes un peu plus longtemps cette fois-ci, puis compta : « Six, quatre, un, trois, zéro, douze, deux, *huit.* »

Je n'en pouvais plus. « Lulu ! Arrête !

— Non, non, je vous en prie, me dit la directrice en levant la main, l'air amusé, avant de se tourner vers Lulu : Je vois, Louisa, que tu aimes faire les choses à ta manière. Ai-je raison ? »

Lulu me lança un coup d'œil furtif — elle savait que je n'étais pas contente — puis acquiesça d'un petit signe de tête.

« Il y a bien huit cubes, continua la directrice nonchalamment. Tu as vu juste, même si tu es arrivée à la bonne réponse d'une façon inhabituelle. C'est une chose admirable que de vouloir trouver ton propre chemin. C'est là quelque chose que nous essayons d'encourager dans cette école. »

Je me détendis et m'autorisai finalement à respirer. On sentait que la directrice aimait bien Lulu. En fait, beaucoup de gens aimaient bien Lulu — il y avait quelque chose de quasi magnétique dans son incapacité à se faire bien voir. Dieu merci, nous vivons en Amérique, pensai-je, où, sans doute à cause de la Révolution américaine, l'esprit de rébellion est apprécié. En Chine, ils auraient envoyé Lulu dans un camp de travail.

Ironie du sort, Lulu finit par adorer son école new-yorkaise, tandis que pour Sophia, qui avait toujours été un peu timide, les choses étaient plus difficiles. Lors de notre rencontre avec son institutrice, celle-ci nous dit qu'elle n'avait jamais eu de meilleure élève, mais qu'elle s'inquiétait pour son adaptation en société, car Sophia passait tous les déjeuners et toutes les récréations toute seule à errer dans le jardin avec un livre. Jed et moi étions pris de panique, mais lorsque nous demandions comment les choses se passaient en classe, elle insista sur le fait que Sophia s'amusait.

Nous avons survécu à ces six mois, mais de justesse. Je réussis même à obtenir une offre de l'université de New York, que j'étais sur le point d'accepter, quand une série d'événements inattendus se produisit. Je publiai un article de droit sur la démocratisation et l'ethnicité dans les pays en voie de développement qui suscita beaucoup d'intérêt dans les cercles de décision. Grâce à cet article, Yale ne me classa plus parmi les indésirables et me proposa un poste de professeur titulaire. Sept ans après mon échec au déjeuner, j'acceptai, même si la saveur en était un peu douce-amère. N'étant plus nomade, Jed put enfin arrêter de faire la navette, et Sophia et Lulu s'installèrent une fois pour toutes dans une école primaire à New Haven.

À cette époque, Lulu avait également commencé à prendre des leçons de piano avec le professeur de Sophia, Michelle, à la Neighborhood Music School. J'avais l'impression de mener une double vie. Je me levais à cinq heures du matin et passais la moitié de la journée à écrire et à me comporter en professeur de droit à Yale, puis je filais à la maison pour mes séances quotidiennes de répétition avec mes deux filles, ce qui, dans le cas de Lulu, comportait menaces, chantage et extorsion réciproques.

Il se trouve que Lulu était une musicienne-née et qu'elle avait quasiment l'oreille absolue. Malheureusement, elle détestait répéter et ne voulait pas se concentrer pendant les séances, préférant plutôt parler des oiseaux de l'autre côté de la fenêtre ou des rides sur mon visage. Malgré tout, elle faisait de rapides progrès en suivant les livres Suzuki et jouait vraiment très bien. Aux récitals, elle ne jouait jamais parfaitement comme sa sœur, mais la précision technique qui lui faisait défaut était largement compensée par un style et une musicalité en tout point égaux à ceux de Sophia.

À peu près à la même période, je décidai que Lulu devait commencer un autre instrument. Des amis qui avaient des enfants plus âgés m'avaient dit qu'il était préférable que mes deux filles s'adonnent à des activités différentes, pour réduire le plus possible la compétition entre elles. C'était particulièrement judicieux car Sophia avait commencé à faire de très grands progrès au piano, remportant beaucoup de prix dans la région et recevant souvent des invitations à jouer de la part d'enseignants, d'églises et d'associations locales. Où que nous allions, Lulu entendait les gens s'extasier sur sa sœur.

Naturellement la question se posa de savoir quel nouvel instrument Lulu devait apprendre. Mes beaux-parents, intellectuels juifs libéraux, avaient une opinion bien arrêtée à ce sujet. Ils savaient que Lulu était têtue de nature et avaient surpris les cris et hurlements pendant nos séances de répétitions. Ils me conseillèrent vivement de choisir quelque chose qui ne mette pas trop la pression.

« Pourquoi pas la flûte à bec ? » suggéra mon beau-père, Sy, un grand type costaud qui est tout le portrait de Zeus et qui avait alors un cabinet de psychothérapie prospère à Washington. À vrai dire, il est très doué pour la musique et possède une voix grave et puissante. En fait, la sœur de Jed a également une belle voix, ce qui laisse supposer de quel côté de la famille Sophia et Lulu ont hérité leurs gènes musicaux.

« La *flûte à bec* ? s'exclama avec incrédulité ma belle-mère, Florence, quand elle entendit la suggestion de Sy. Qu'est-ce que c'est ennuyeux ! » Florence était critique d'art et vivait à New York. Elle venait de publier une biographie du controversé Clement Greenberg, le critique d'art moderne qui découvrit effectivement Jackson Pollock et l'expressionnisme abstrait américain. Florence et Sy avaient divorcé vingt ans auparavant et, en règle générale, elle contestait tout ce qu'il disait. « Pourquoi pas quelque chose de plus exaltant, comme un instrument de gamelan ? Pourrait-elle apprendre à jouer du gong ? »

Florence était élégante, aventureuse et cosmopolite. Des années plus tôt, elle avait voyagé en Indonésie, où elle avait été captivée par le gamelan javanais, un petit orchestre d'environ quinze à vingt musiciens qui sont assis en tailleur sur le sol et jouent des instruments à percussion comme le *kempul* (une série de gongs suspendus, de différents tons), le *saron* (un grand xylophone en métal) ou le *bonang* (un ensemble de petits gongs sur lesquels on frappe comme sur des tambours mais qui sonnent plutôt comme des carillons).

Chose intéressante, le compositeur français Claude Debussy eut la même réaction vis-à-vis de l'orchestre de gamelan que celle de ma belle-mère. Pour Debussy, comme pour Florence, le gamelan fut une révélation. Il écrivit à un ami, en 1895, que la musique javanaise « contenait toutes les nuances, même celles qu'on ne peut plus nommer ». Il publia plus tard un article décrivant les Javanais comme de « charmants petits peuples qui apprirent la musique aussi simplement qu'on apprend à respirer. Leur conservatoire c'est : le rythme éternel de la mer, le vent dans les feuilles, et mille petits bruits qu'ils écoutèrent avec soin, sans jamais regarder dans d'arbitraires traités ».

Personnellement, je crois que c'était pour Debussy une simple lubie, ce fétichisme de l'exotique. Il arriva la même chose à ses compatriotes, Henri Rousseau et Paul Gauguin, qui se mirent à peindre tout le temps les indigènes de Polynésie. On peut trouver une variation particulièrement répugnante de ce phénomène dans la Californie actuelle : des hommes atteints de « fièvre jaune » — autrement dit d'asiaphilie ou de fétichisme asiatique — qui ne sortent qu'avec des femmes asiatiques (parfois des dizaines d'affilée) quels que soient leur laideur ou leur pays d'origine. Il faut signaler que Jed ne sortit avec aucune femme asiatique avant de me rencontrer.

Mais peut-être est-ce parce que je fétichise la difficulté et le talent que je n'arrive pas à apprécier la musique de gamelan, que j'ai entendue lorsque nous avons visité l'Indonésie en 1992. Je ne sais combien de fois j'ai hurlé à Lulu : « Tout ce qui est précieux et qui en vaut la peine est difficile ! Sais-tu combien j'ai dû trimer pour obtenir ce poste à Yale ? » La musique de gamelan hypnotise parce qu'elle est simple, relâchée et répétitive au plus haut point. Par contraste, les brillantes compositions de Debussy reflètent la complexité, l'ambition, l'ingéniosité, l'intention, l'exploration harmonique réfléchie — et, c'est vrai, les influences du gamelan, au moins dans certaines de ses œuvres. C'est comme la différence entre une cabane en bambou, qui a son charme, et le château de Versailles.

En tout cas, je repoussai le gong pour Lulu, tout comme je rejetai la flûte à bec. Mon instinct était l'exact opposé de celui de mes beaux-parents. Je pensais que le seul moyen pour que Lulu sorte de l'ombre de sa sœur virtuose était de jouer d'un instrument qui soit encore plus difficile et qui exige encore plus de maestria. C'est pourquoi je choisis le violon. Le jour où je pris cette décision — sans consulter Lulu, ni tenir compte des conseils de tous mes proches — fut le jour où je scellai mon sort.

9

LE VIOLON

Beaucoup de Chinois ont l'habitude déconcertante de comparer ouvertement leurs propres enfants. Je n'avais jamais considéré que c'était une si mauvaise chose quand j'étais enfant, parce que la comparaison était toujours à mon avantage. Ma grand-mère Dragon — celle qui était riche, du côté paternel — manifestait de façon flagrante sa préférence pour moi par rapport à toutes mes sœurs. « Voyez comme le nez de celle-là est plat, ricanait-elle pendant les réunions de famille, en montrant l'une de mes frangines. Ce n'est pas comme Amy qui a un beau nez aquilin. Amy ressemble aux Chua. Celle-là a pris du côté de sa mère et ressemble à un singe. »

Il est vrai que ma grand-mère était un cas extrême. Mais les Chinois font tout le temps ce genre de choses. J'étais récemment dans une boutique de médecine chinoise, et le propriétaire me dit qu'il avait une fille de six ans et un garçon de cinq ans. « Ma fille, dit-il, elle intelligente. Juste un problème : pas *concentrée*. Mon fils, lui pas intelligent. Ma fille intelligente. » Une autre fois, mon amie Kathleen était à un tournoi de tennis et se mit à discuter avec une mère chinoise qui regardait sa fille jouer un match. La mère dit à Kathleen que sa fille, qui était étudiante à Brown, allait probablement perdre. « Cette fille tellement *faible*, dit-elle en secouant la tête. Sa sœur aînée, bien meilleure. Elle aller à Harvard. »

Je sais maintenant que le favoritisme parental est mauvais et pernicieux. Mais à la décharge des Chinois, je ferai remarquer deux choses.

Premièrement, le favoritisme parental peut se trouver dans toutes les cultures. Dans la Genèse, Isaac préfère Ésaü, tandis que Rébecca aime mieux Jacob. Dans les contes des frères Grimm, il y a toujours une fratrie de trois enfants qui ne sont jamais traités de la même manière. Inversement, les Chinois ne pratiquent pas tous le favoritisme. Dans *Les Cinq Frères chinois*, rien n'indique que la mère aime plus le fils qui peut avaler la mer que celui qui a un cou en fer.

Deuxièmement, je ne crois pas que toutes les comparaisons que font les parents soient blessantes. Jed critique constamment le fait que je compare Sophia et Lulu. Et il est vrai que j'ai dit à Lulu des choses du style : « Quand je dis à Sophia de faire quelque chose, elle s'exécute sur-le-champ. Voilà pourquoi elle progresse aussi rapidement. » Lorsque je dis des choses pareilles, je ne favorise pas Sophia mais j'exprime au contraire ma confiance en Lulu. Je crois qu'elle peut faire tout ce dont Sophia est capable et qu'elle est assez forte pour affronter la vérité, et je sais aussi que Lulu se compare à Sophia de toute façon.

C'est pourquoi je suis parfois si sévère avec elle. Je ne la laisserai pas céder à ses propres doutes.

C'est aussi la raison pour laquelle, le matin de sa première leçon de violon, avant même qu'elle ne rencontre son nouveau professeur, je lui dis : « Souviens-toi, Lulu, que tu as seulement six ans. Sophia a remporté son premier prix d'interprétation quand elle en avait neuf. Je crois que tu peux remporter le tien plus tôt. »

Lulu réagit mal à cela, disant qu'elle détestait les compétitions et qu'elle ne voulait même pas jouer du violon, et refusa d'aller à la leçon. Je la menaçai de lui donner une fessée et de la priver de dîner — ce qui, à l'époque, fonctionnait encore — et l'emmenai finalement à la Neighborhood Music School, où nous fûmes sauvées par M. Carl Shugart, le professeur de violon (méthode Suzuki) qui avait été désigné pour Lulu.

M. Shugart, un beau quinquagénaire du genre BCBG aux cheveux blonds clairsemés, faisait partie de ces gens qui s'entendent mieux avec les enfants qu'avec les adultes. Avec les parents, il était distant et maladroit, et pouvait à peine nous regarder dans les yeux. Mais il était génial avec les enfants : détendu, plein d'esprit, stimulant et drôle. Il était comme le Joueur de flûte de l'école, et la trentaine d'enfants qui étudiaient avec lui — parmi lesquels Lulu — l'auraient suivi n'importe où.

Le secret de M. Shugart était de traduire tout ce qui était technique dans le violon par des histoires et des images que les enfants pouvaient comprendre. Au lieu de parler de *legato*, de *staccato* et d'*accelerando*, il évoquait la fourrure d'un chat ronronnant que l'on caresse, des armées de fourmis qui marchent au pas, et des souris qui descendent d'une colline sur des monocycles. Je me rappelle m'être émerveillée à le voir enseigner à Lulu la fameuse *Humoresque n° 7* de Dvořák. Après le thème d'ouverture très entraînant, que les gens partout dans le monde fredonnent sans même le savoir, il y a un second thème excessivement larmoyant qui est censé être joué avec un pathos exagérément tragi-comique — bon, comment fait-on pour explique *ça* à une enfant de six ans ?

M. Shugart dit à Lulu que le second thème était triste, mais pas triste comme lorsque quelqu'un est en train de mourir. Il lui demanda plutôt d'imaginer que sa mère lui avait promis un gros cornet de glace avec deux nappages si elle faisait son lit tous les jours pendant une semaine — et que Lulu avait rempli sa part de contrat en toute confiance. Mais à la fin de la semaine, non seulement sa mère a refusé de lui donner le cornet de glace, mais elle en a acheté un pour la sœur de Lulu qui, elle, n'avait absolument rien fait. Ça touchait clairement une corde sensible chez Lulu, car ensuite elle joua cette *Humoresque* d'une façon si émouvante que le morceau semblait avoir été écrit pour elle. Jusqu'à aujourd'hui, lorsque j'entends cette pièce — on peut voir Itzhak Perlman et Yo-Yo Ma la jouer sur Youtube — j'entends les paroles que M. Shugart ajouta à la musique : « Je veux ma gla-a-ace, oh donne-moi ma glace. Où est la glace que tu m'as promi-i-ise ? »

De façon étonnante, même si c'était moi qui avais choisi le violon pour Lulu, il était manifeste qu'elle était naturellement attirée par cet instrument. Même au début, les gens étaient sans cesse frappés par le naturel avec lequel elle se mouvait lorsqu'elle jouait, et combien elle semblait vraiment ressentir la musique. Aux récitals de M. Shugart, elle se distinguait toujours, et les autres parents demandaient si la musique était un don familial et si Lulu espérait devenir violoniste professionnelle. Ils n'avaient pas la moindre idée des séances de répétition qui tournaient au jeu de massacre à la maison, où Lulu et moi nous battions comme des bêtes sauvages — le Tigre contre le Sanglier. Et plus elle résistait, plus je passais à l'attaque.

Les samedis étaient le temps fort de la semaine. Nous passions toute la matinée à l'école de musique, qui était toujours remplie d'énergie et du son d'une vingtaine d'instruments différents. Non seulement Lulu avait sa leçon avec M. Shugart, mais elle passait tout de suite après à une leçon Suzuki en groupe avec lui, suivie d'une séance en duo violon-piano avec Sophia. (Les leçons de piano de Lulu, qui n'avaient pas été abandonnées, avaient lieu le vendredi.) De retour à la maison, malgré ces trois heures de cours d'affilée, j'essayais souvent d'ajouter furtivement une séance de répétition supplémentaire juste après — rien de tel que de prendre une bonne longueur d'avance sur la semaine suivante ! Le soir, une fois que Lulu dormait, je lisais des traités sur la technique du violon et j'écoutais des CD d'Isaac Stern, Itzhak Perlman ou Midori, en essayant de comprendre comment ils s'y prenaient pour produire une musique si belle.

Je reconnais que cet emploi du temps pourra sembler

quelque peu intense. Mais je sentais que j'étais dans une course contre la montre. Les enfants en Chine s'entraînent dix heures par jour. Sarah Chang auditionna pour Zubin Mehta et l'Orchestre philharmonique de New York à l'âge de huit ans. Tous les ans, un nouveau gamin de sept ans de Lettonie ou de Croatie remporte une compétition internationale en jouant le monstrueusement difficile concerto pour violon de Tchaïkovski, qu'il me tardait que Lulu commence à apprendre. De surcroît, j'étais déjà désavantagée parce que j'avais un mari américain qui croyait que l'enfance était faite pour s'amuser. Jed voulait toujours jouer à des jeux de société avec les filles, ou bien aller au minigolf avec elles, ou alors, pire que tout, les emmener dans de lointains parcs aquatiques avec de dangereux toboggans. Ce que je préférais faire avec les filles, c'était leur faire la lecture à voix haute ; Jed et moi faisions ça tous les soirs, et c'était toujours pour nous tous le moment préféré de la journée.

Le violon est vraiment difficile — selon moi, bien plus difficile à apprendre que le piano. Tout d'abord, il y a la question du maintien de l'instrument, qui ne se pose pas avec le piano. Contrairement à ce qu'une personne normale peut penser, le violon n'est pas tenu par le bras gauche ; ça n'en a que l'apparence. Selon le célèbre professeur de violon Carl Flesch, dans *L'Art du violon*, l'instrument doit être « placé sur la clavicule » et « maintenu en place par la mâchoire inférieure gauche », ce qui laisse la main gauche libre de se déplacer.

Si vous pensez que tenir quelque chose en place avec

votre clavicule et votre mâchoire inférieure est inconfortable, vous voyez juste. Ajoutez à cela une mentonnière en bois et l'attache en métal saillant dans le cou, et vous obtenez le « suçon du violon » : une marque rouge râpeuse, souvent irritée, juste au-dessous du menton, que la plupart des violonistes et altistes possèdent et considèrent même comme un insigne honorifique.

Vient ensuite l'« intonation » — c'est-à-dire jouer juste —, autre raison pour laquelle je trouve le violon plus difficile que le piano, au moins pour les débutants. Avec le piano, il suffit d'appuyer sur une touche pour savoir quelle note vous obtenez. Avec le violon, il vous faut placer votre doigt exactement au bon endroit sur le manche — si vous êtes ne serait-ce qu'un millimètre à côté, vous ne jouez pas parfaitement juste. Bien que le violon n'ait que quatre cordes, il peut produire cinquante-trois notes différentes mesurées par des incréments de demi-ton — et infiniment plus de timbres si l'on utilise différentes cordes et techniques de l'archet. On dit souvent que le violon peut rendre toutes les émotions et que c'est l'instrument le plus proche de la voix humaine.

Une chose que le piano et le violon ont en commun — l'un avec l'autre, mais aussi avec de nombreux sports — c'est qu'on ne peut pas jouer extraordinairement bien à moins d'être détendu. Tout comme un service imparable au tennis ou lancer très loin une balle de base-ball exigent un bras relâché, de même on ne peut faire sortir une sonorité mélodieuse du violon si l'on serre trop fort l'archet ou si l'on écrase les cordes — c'est en les écrasant qu'on produit cet horrible grincement. « Imagine que tu es une poupée de chiffon, disait M. Shugart à Lulu. Souple et détendue, et sans aucun souci. Tu es tellement détendue que tu sens ton bras peser de tout son poids… Laisse la gravité faire tout le travail… C'est bien, Lulu, c'est bien. »

« DÉTENDS-TOI ! hurlais-je à la maison. M. Shugart' a dit d'être comme une POUPÉE DE CHIFFON ! » Je faisais toujours de mon mieux pour renforcer les remarques de M. Shugart, mais les choses étaient rudes avec Lulu, car ma seule présence l'énervait et la stressait.

Une fois, en plein milieu d'une séance de répétition, elle s'exclama : « *Arrête*, maman. *Arrête* !

— Lulu, je n'ai rien dit, répliquai-je. Je n'ai pas dit un seul mot.

— Ton cerveau m'agace, dit Lulu. Je sais ce que tu es en train de penser.

— Je ne pense rien du tout », protestai-je d'un ton indigné. À vrai dire, j'étais en train de penser que le coude droit de Lulu était trop haut, que sa dynamique n'allait pas du tout, et qu'elle devait mieux structurer ses phrases.

« Éteins ton cerveau ! ordonna Lulu. J'arrête de jouer si tu n'éteins pas ton cerveau. »

Lulu essayait toujours de me provoquer. Commencer une dispute était un moyen de ne pas répéter. Cette fois-là, je ne mordis pas à l'hameçon. « D'accord, répondis-je calmement. Comment veux-tu que je le fasse ? » Donner à Lulu le contrôle de la situation désamorçait parfois sa mauvaise humeur.

Lulu y réfléchit. « Pince-toi le nez pendant cinq secondes. »

Un coup de chance. Je m'exécutai et la répétition reprit. C'était là un de nos bons jours.

Lulu et moi étions incompatibles tout en étant liées de façon inextricable. Quand les filles étaient petites, je conservais un dossier sur ordinateur dans lequel je consignais mot pour mot des échanges remarquables. Voici une conversation que j'eus avec Lulu quand elle avait environ sept ans :

A : Lulu, nous sommes de bonnes copines d'une façon bizarre.

L : Ouais… d'une façon bizarre et atroce.

A : !!

L : Je plaisante (elle serre maman fort dans ses bras).

A : Je vais écrire ce que tu as dit.

L : Non, ne fais pas ça ! Ça aura l'air tellement méchant !

A : J'écrirai aussi que tu m'as serrée dans tes bras.

Un sympathique effet secondaire de ma façon extrême d'éduquer les enfants était que Sophia et Lulu étaient très proches : compagnons d'armes contre leur mère dominatrice et fanatique. « Elle est folle », les entendais-je se murmurer l'une à l'autre en gloussant. Mais ça m'était égal. Je n'étais pas fragile comme le sont certains parents occidentaux. Comme je le disais souvent aux filles : « Mon objectif en tant que parent est de vous préparer à l'avenir — pas de vous faire à mon image. »

Un printemps, le directeur de l'école de musique demanda à Sophia et à Lulu de faire un duo de sœurs à un gala spécial organisé en l'honneur de la soprano Jessye Norman, qui interpréta Aïda dans l'opéra spectaculaire de Verdi. Il se trouve que c'est justement l'opéra préféré de mon père — Jed et moi nous sommes d'ailleurs mariés sur la musique de la Marche triomphale d'*Aïda* — et je m'arrangeai pour que mes parents puissent venir de Californie. Vêtues de robes assorties, les filles jouèrent la *Sonate pour violon et piano en mi mineur* de Mozart. Je crois personnellement qu'elles n'étaient pas encore assez mûres pour ce morceau — les échanges entre le violon et le piano ne fonctionnaient pas vraiment, ne ressemblaient pas à des conversations —, mais personne d'autre ne sembla le remarquer et les filles eurent un énorme succès. Jessye Norman me dit ensuite : « Vos filles sont tellement douées — vous avez beaucoup de chance. » Les bagarres incluses, ça fait partie des plus beaux jours de ma vie.

10

DES MARQUES DE DENTS ET DES BULLES

Contrairement aux parents occidentaux, les parents chinois peuvent se permettre certaines choses en toute impunité. Une fois, quand j'étais jeune — peut-être plus d'une fois —, je manquai totalement de respect envers ma mère, et mon père me traita avec colère de « minable » dans notre dialecte chinois hokkien. Ce fut très efficace. Je me sentais coupable et j'avais profondément honte de ce que j'avais fait. Mais ça n'a pas détruit mon amour-propre ou quoi que ce soit de ce genre. Je savais exactement combien il m'estimait, et je ne pensais pas au juste que je n'étais bonne à rien, ni que j'étais minable.

Devenue mère, je fis une fois la même chose avec Sophia, la traitant de minable en anglais quand elle me manqua vraiment de respect. Lorsque, au cours d'un dîner, je mentionnai cette anecdote, je fus ostracisée sur-le-champ. Une invitée nommée Marcy fut tellement bouleversée qu'elle éclata en sanglots et dut partir plus tôt. Mon amie Susan, qui nous recevait, essaya de me réhabiliter aux yeux des invités encore présents.

« Oh ! mon Dieu, c'est un simple malentendu. Amy parlait de façon métaphorique, n'est-ce pas, Amy ? Tu n'as pas véritablement traité Sophia de “minable” ?

— Euh, si, je l'ai fait. Mais tout est dans le contexte, essayai-je d'expliquer. C'est un truc d'immigrés chinois.

— Mais tu n'es pas une immigrée chinoise, fit remarquer quelqu'un.

— Très juste, concédai-je. Pas étonnant que ça n'ait pas marché. »

J'essayais juste d'être conciliante. En réalité, ça avait très bien marché avec Sophia.

Le fait est que les parents chinois s'autorisent des choses qui sembleraient inimaginables — et seraient même légalement passibles de poursuites — aux yeux des Occidentaux. Les mères chinoises peuvent dire à leur fille : « Hé, la grosse, fais un régime. » En revanche, les parents occidentaux doivent aborder le sujet sur la pointe des pieds, en parlant en termes de « santé » et en n'utilisant jamais au grand jamais de gros mots ; et pourtant leurs enfants finissent en thérapie pour troubles de l'alimentation et mauvaise image de soi. (J'ai aussi entendu un jour un père occidental porter un toast à sa fille adulte en disant qu'elle était « belle et incroyablement compétente ». Elle m'a dit plus tard que ça lui avait donné l'impression d'être minable.) Les parents chinois peuvent ordonner à leurs enfants de n'obtenir que les meilleures notes, tandis que les parents occidentaux doivent se contenter de demander aux leurs de faire de leur mieux. Quand les parents chinois lancent : « Tu es paresseux. Tous tes camarades sont en train de prendre de l'avance sur toi », les parents occidentaux luttent avec leurs propres sentiments contradictoires vis-à-vis de la réussite et essaient de se convaincre qu'ils ne sont pas déçus par ce que sont devenus leurs enfants.

Je me suis longuement demandé comment les parents chinois pouvaient se permettre d'agir comme ils le font, et je crois qu'il y a trois grandes différences entre les mentalités chinoise et occidentale vis-à-vis de l'éducation des enfants.

Premièrement, j'ai remarqué que les parents occidentaux se font énormément de souci pour l'amour-propre de leur enfant, s'inquiètent de ses sentiments s'il subit un échec, et essaient constamment de le rassurer sur ses capacités en dépit d'une performance médiocre à une épreuve ou à un récital. En d'autres termes, les parents occidentaux sont inquiets pour le psychisme de leur enfant. Pas les parents chinois, qui présument la force, non la fragilité, et par conséquent se comportent très différemment.

Par exemple, si un enfant rentre à la maison avec un A– à un contrôle, un parent occidental le félicitera probablement, tandis que la mère chinoise s'étranglera d'horreur et demandera ce qui s'est passé. Si l'enfant revient à la maison en ayant obtenu un B au contrôle, certains parents occidentaux continueront encore de le féliciter ; d'autres le feront asseoir et exprimeront leur désapprobation, mais ils prendront garde qu'il ne se sente pas incompétent ou angoissé, et ne le traiteront pas d'« idiot », de « bon à rien » ou de « honte de la famille ». En leur for intérieur, les parents occidentaux s'inquiéteront peut-être que leur enfant ne réussisse pas bien aux contrôles ou n'ait pas de disposition pour la matière, ou bien que quelque chose n'aille pas dans le programme, voire dans toute l'école. Si les notes de l'enfant ne s'améliorent pas, il se peut qu'ils finissent par prendre rendez-vous avec le directeur de l'école pour remettre en question la façon dont la matière est enseignée ou pour mettre en doute les qualifications de l'enseignant.

Si un enfant chinois obtenait un B — ce qui n'arriverait jamais — la mère chinoise, consternée, commencerait d'abord par exploser en hurlant et en s'arrachant les cheveux, puis elle lui donnerait des dizaines, voire des centaines d'exercices d'entraînement, et le ferait travailler aussi longtemps que nécessaire jusqu'à ce qu'il obtienne un A. Les parents chinois exigent des notes parfaites car ils pensent que leur enfant est capable de les obtenir. Si ce n'est pas le cas, le parent chinois suppose que c'est parce que l'enfant n'a pas travaillé assez dur. C'est pourquoi la solution aux résultats médiocres est toujours de chapitrer, de punir et de piquer l'amour-propre de l'enfant. Les parents chinois croient que leur enfant sera assez fort pour supporter une humiliation qui le poussera à s'améliorer. (Et lorsque les enfants chinois excellent vraiment, les parents se répandent en louanges propres à gonfler l'orgueil dans l'intimité du foyer.)

Deuxièmement, les parents chinois croient que leurs enfants leur doivent tout. La raison en est un peu floue, mais c'est probablement une combinaison de piété filiale confucéenne et de tous les sacrifices que les parents ont consentis pour eux. (Et il est vrai que les mères chinoises vont dans les tranchées, consacrant de longues heures éreintantes à donner elles-mêmes des leçons particulières, à entraîner, interroger et surveiller.) En tout cas, il est entendu que les enfants chinois doivent passer leur vie à remercier leurs parents en leur obéissant et en faisant leur fierté. Par contre, je ne pense pas que la plupart des Occidentaux partagent cette opinion que les enfants soient à jamais redevables envers leurs parents. À vrai dire, Jed pense le contraire. « Les enfants ne choisissent pas leurs parents, me dit-il un jour. Ils ne choisissent même pas de naître. Ce sont les parents qui leur imposent de vivre, alors c'est la responsabilité des parents de subvenir à leurs besoins. Les enfants ne doivent rien à leurs parents. Ils auront un devoir envers leurs propres enfants. » Il me semble que les parents occidentaux sont terriblement mal lotis.

Troisièmement, les parents chinois croient savoir ce qui est le mieux pour leurs enfants et, par conséquent, ne tiennent jamais compte des souhaits et préférences de ces derniers. C'est pourquoi les filles chinoises ne peuvent pas avoir de petit copain au lycée, ni les enfants chinois aller en colonie de vacances. C'est aussi la raison pour laquelle aucun enfant chinois n'oserait jamais dire à sa mère : « J'ai un rôle dans le spectacle de l'école ! Je suis le Villageois numéro six. Il faudra que je reste après les cours pour les répétitions tous les jours de quinze heures à dix-neuf heures, et il faudra aussi que tu m'amènes en voiture les week-ends. » Je souhaite bien de la chance à tout enfant chinois qui tentera une chose pareille.

Comprenez-moi bien : ce n'est pas que les parents chinois n'aiment pas leurs enfants. C'est exactement le contraire. Ils donneraient tout pour eux. C'est simplement que leur modèle d'éducation est complètement différent. Je le considère comme chinois, mais je connais beaucoup de parents non chinois — généralement d'origine coréenne, indienne ou pakistanaise — qui ont une mentalité très similaire, alors il s'agit peut-être d'une spécificité des immigrés. Ou alors c'est peut-être le fait d'être immigré combiné à certaines origines culturelles.

Jed a été élevé sur un modèle très différent. Aucun de ses parents n'était immigré. Sy et Florence naquirent et grandirent tous deux près de Scranton, en Pennsylvanie, dans des familles juives de stricte observance orthodoxe. Tous deux perdirent leur mère très jeunes, et tous deux eurent une enfance oppressante et malheureuse. Après leur mariage, ils quittèrent la Pennsylvanie aussi vite que possible et finirent par s'installer à Washington, où Jed grandit avec son frère et sa sœur aînés. En tant que parents, Sy et Florence étaient résolus à donner à leurs enfants l'espace et la liberté dont ils avaient été privés pendant leur propre enfance. Ils croyaient au choix individuel et attachaient de la valeur à l'indépendance, à la créativité et à la remise en question de l'autorité.

Il y avait un monde entre mes parents et ceux de Jed. Les parents de Jed lui donnèrent le choix de prendre ou non des leçons de violon (ce qu'il refusa et regrette aujourd'hui) et le considéraient comme un être humain ayant ses propres opinions. Mes parents ne me laissèrent aucun choix et ne me demandaient jamais mon avis sur quoi que ce soit. Tous les ans, les parents de Jed lui permettaient de passer l'été entier à s'amuser avec son frère et sa sœur dans un endroit idyllique nommé Crystal Lake ; Jed dit que ces étés font partie des plus beaux moments de sa vie, et nous essayons d'emmener Sophia et Lulu à Crystal Lake quand nous le pouvons. Moi, en revanche, je devais prendre des cours de programmation informatique — je détestais l'été. (Tout comme Katrin, mon âme sœur de sept ans ma cadette, qui, en plus de la programmation, lisait des ouvrages de grammaire et apprenait toute seule à faire des arbres syntaxiques pour passer le temps.) Les parents de Jed avaient bon goût et étaient collectionneurs d'art. Pas mes parents. Les parents de Jed payèrent en partie, mais pas en totalité, ses études. Les miens payaient toujours tout, mais ils attendent de nous qu'on s'occupe d'eux et qu'on les traite avec respect et dévouement lorsqu'ils seront vieux. Les parents de Jed n'ont jamais eu de telles attentes.

Les parents de Jed passaient souvent leurs vacances sans leurs enfants. Ils voyageaient avec des amis dans des endroits dangereux comme le Guatemala (où ils ont failli être enlevés), le Zimbabwe (où ils ont fait un safari) et Borobudur en Indonésie (où ils ont entendu le gamelan). Mes parents ne partaient jamais en vacances sans leurs quatre enfants, ce qui signifiait que nous devions dormir dans des motels très bon marché. De plus, ayant grandi dans le monde en voie de développement, mes parents ne seraient pas allés au Guatemala, au Zimbabwe ou à Borobudur même si on les avait payés ; au lieu de cela, ils nous emmenaient en Europe, où il y a des gouvernements.

Sans avoir explicitement négocié la question, Jed et moi avons simplement fini par adopter le modèle chinois d'éducation des enfants dans notre famille. Il y avait plusieurs raisons à cela. Tout d'abord, comme beaucoup de mères, je me chargeais en grande partie d'élever les enfants, alors il était logique que mon style parental prédomine. Même si Jed et moi faisions le même métier et que j'étais aussi débordée que lui à Yale, c'était moi qui supervisais les devoirs, les leçons de mandarin, et toutes les répétitions de piano et de violon des filles. Ensuite, sans que j'y sois pour rien, Jed était partisan d'une éducation stricte. Il se plaignait des familles au sein desquelles les parents ne disaient jamais non à leurs enfants — ou, pire, disaient non mais sans se faire obéir ensuite. Mais, s'il savait dire non aux filles, Jed n'avait pas de projet arrêté pour elles. Il ne leur aurait jamais imposé des choses comme le piano ou le violon si elles avaient refusé, et il n'était pas absolument certain d'être capable de faire les bons choix pour elles. C'est là que j'entrais en jeu.

Mais ce qui fut probablement le plus important, c'est que nous avons continué de suivre le modèle chinois parce qu'il était difficile de contester les premiers résultats. Les autres parents nous demandaient tout le temps quel était notre secret : Sophia et Lulu étaient des enfants modèles ;

en public, elles étaient polies, intéressantes, serviables, et s'exprimaient bien ; elles n'obtenaient que les meilleures notes, et Sophia avait deux ans d'avance sur ses camarades en mathématiques ; elles parlaient couramment le mandarin ; et tout le monde s'émerveillait devant leur façon de jouer la musique classique. En bref, elles étaient exactement comme les enfants chinois.

Sauf que pas tout à fait. Nous avons effectué notre premier voyage en Chine avec les filles en 1999. Sophia et Lulu ont chacune les cheveux bruns, les yeux marron, et des traits de type asiatique ; et elles parlent toutes les deux le chinois. Sophia mange toutes sortes d'organes et d'organismes — les pattes de canard, les oreilles de porc, les limaces de mer —, ce qui est un autre aspect crucial de l'identité chinoise. Et pourtant, partout où nous allions en Chine, y compris la ville cosmopolite de Shanghai, mes filles attiraient des foules de curieux qui les dévisageaient, gloussaient et montraient du doigt les « deux petites étrangères qui parlent chinois ». Au centre d'élevage de pandas de Chengdu dans le Sichuan, tandis que nous prenions des photos de bébés pandas géants — des créatures, semblables à de remuantes larves roses, qui survivent rarement —, les touristes chinois prenaient des photos de Sophia et de Lulu.

De retour à New Haven quelques mois plus tard, lorsque je dis en passant que Sophia était chinoise, elle m'interrompit : « Maman, je ne suis pas chinoise.

— Si, tu es chinoise.

— Non, maman. Tu es la seule à le penser. Personne

en Chine ne pense que je suis chinoise. Personne en Amérique ne le pense non plus. »

J'étais profondément contrariée, mais je ne répondis que : « Eh bien, ils ont tous tort. Tu es chinoise, un point c'est tout. »

Sophia connut son premier grand moment de musique en 2003, quand elle remporta le concours de concerto de la région de New Haven à l'âge de dix ans et gagna le droit de jouer comme soliste dans un orchestre de jeunes de New Haven, à la chapelle Battell de l'université Yale. J'étais surexcitée. J'agrandis l'article sur Sophia paru dans le journal local et le mis sous cadre. J'invitai plus d'une centaine de personnes à venir l'écouter et prévis une énorme fête après le concert. J'achetai à Sophia sa première robe longue et de nouvelles chaussures. Les grands-parents vinrent tous les quatre et, la veille du concert, ma mère était dans notre cuisine en train de préparer des centaines de « perles » chinoises (des boulettes de viande de porc recouvertes de riz blanc), tandis que Florence préparait cinq kilos de gravlax (du saumon fumé au sel de mer recouvert d'une feuille de brick).

Pendant ce temps, sur le front des répétitions, nous mettions les bouchées doubles. Sophia allait jouer le *Rondo pour piano et orchestre en ré majeur* de Mozart, l'une des compositions les plus vivifiantes du compositeur. Mozart est notoirement connu pour sa difficulté, et tout le monde sait combien sa musique est pétillante, brillante, exubérante et fluide — des adjectifs qui sèment la terreur chez la plupart des musiciens. On dit que seuls les jeunes et les vieux peuvent bien le jouer : les premiers parce qu'ils sont inconscients et les seconds parce qu'ils ne cherchent plus à impressionner qui que ce soit. Le rondo de Sophia était du Mozart classique. Michelle, son professeur, lui dit : « Quand tu joues tes roulades et tes trilles, pense au champagne ou à une boisson pétillante, et à toutes ces bulles qui remontent à la surface. »

Sophia était capable de relever n'importe quel défi. Elle apprenait à une vitesse incroyable et ses doigts étaient rapides comme l'éclair. Et par-dessus tout, elle écoutait tout ce que je lui disais.

À cette époque, j'étais déjà devenue sergent instructeur. Je décomposais le rondo, tantôt par sections, tantôt par objectifs. Nous passions une heure sur l'articulation (la clarté des notes), puis une heure sur le tempo (avec le métronome), suivie d'une autre sur la dynamique (*forte*, *piano*, *crescendo*, *decrescendo*), puis une autre encore sur le phrasé (l'enchaînement de phrases musicales), et ainsi de suite. Nous travaillions jusque tard dans la nuit tous les jours pendant des semaines. Je ne lui épargnais aucune critique et devenais plus sévère encore quand les yeux de Sophia se remplissaient de larmes.

Lorsque arriva enfin le grand jour, j'étais soudain tétanisée ; je n'aurais moi-même jamais pu devenir interprète. Mais Sophia semblait être tout excitée. À la chapelle Battell, au moment de traverser la scène pour aller saluer le public, elle affichait un large sourire, et je voyais bien qu'elle était heureuse. Tandis que je la regardais jouer son morceau — dans le grand hall imposant en chêne de couleur sombre, elle semblait minuscule et courageuse au piano — j'éprouvais au cœur une douleur indescriptible.

À la fin du concert, amis et inconnus vinrent nous féliciter, Jed et moi, disant que la performance musicale de Sophia était stupéfiante, et sa façon de jouer si gracieuse et élégante. Sophia était clairement faite pour jouer du Mozart, déclara une Michelle rayonnante, et elle n'avait jamais entendu le *Rondo* à ce point frais et pétillant. « Il est évident qu'elle y prenait du plaisir, me dit Larry, le pétulant directeur de l'école de musique. Il est impossible de jouer aussi bien si on ne s'amuse pas. »

Pour une raison ou pour une autre, la remarque de Larry me fit penser à un incident qui s'était produit des années plus tôt, quand Sophia commençait tout juste le piano mais que je la poussais déjà à travailler dur. Jed découvrit de drôles de marques sur le bois du piano juste au-dessus du *do* central. Quand il interrogea Sophia à ce sujet, elle eut soudain une expression coupable. « Qu'est-ce que tu as dit ? » demanda-t-elle évasivement.

Jed s'accroupit et examina les marques de plus près. « Sophia, dit-il lentement, se pourrait-il que ce soient des marques de dents ? »

Il s'avéra que c'était bien cela. Soumise à de nouvelles questions, Sophia, qui avait peut-être six ans à l'époque, avoua qu'elle grignotait souvent le piano. Quand Jed expliqua que le piano était le meuble le plus cher en notre possession, Sophia promit qu'elle ne le referait pas. Je ne suis pas tout à fait sûre de savoir pourquoi le commentaire de Larry me remit cet épisode en mémoire.

11

LE PETIT ÂNE BLANC

Voici une histoire en faveur de la coercition à la mode chinoise. Lulu avait environ sept ans, jouait encore deux instruments, et travaillait alors sur un morceau de piano intitulé *Le Petit Âne blanc* du compositeur français Jacques Ibert. Le morceau est vraiment mignon — on imagine parfaitement un petit âne avançant d'un pas tranquille le long d'une route de campagne en compagnie de son maître — mais il est aussi incroyablement difficile à jouer pour de jeunes musiciens, car les deux mains doivent conserver des rythmes schizophréniquement différents.

Lulu n'y arrivait pas. Nous travaillions dessus sans arrêt pendant une semaine, exerçant chacune de ses mains séparément je ne sais combien de fois. Mais dès que nous essayions de mettre les mains ensemble, l'une finissait toujours par prendre le rythme de l'autre, et tout s'effondrait. Finalement, la veille de sa leçon, Lulu, exaspérée, annonça qu'elle abandonnait et partit en tapant des pieds.

« Reviens tout de suite au piano, lui ordonnai-je.

— Tu ne peux pas me forcer.

— Oh si, je le peux ! »

De retour au piano, Lulu me le fit payer. Elle se débattit en donnant coups de poing et coups de pied. Elle saisit la partition dont elle fit des confettis. Je recollai les morceaux et recouvris la partition d'une protection en plastique afin qu'elle ne puisse plus jamais être détruite. Puis je traînai la maison de poupées de Lulu jusqu'à la voiture et lui dis que je la donnerais à l'Armée du Salut par petits bouts si elle ne jouait pas parfaitement *Le Petit Âne blanc* d'ici au lendemain. Quand Lulu répliqua : « Je croyais que tu allais à l'Armée du Salut, qu'est-ce que tu fais encore ici ? », je la menaçai de la priver de déjeuner, de dîner, de cadeaux de Noël ou de Hanoukka, de fêtes d'anniversaire pour deux, trois, quatre ans. Quand elle continua de mal jouer le morceau, je lui dis qu'elle faisait exprès de se mettre dans tous ses états parce qu'elle avait secrètement peur de ne pas y arriver. Je lui dis d'arrêter d'être feignante, lâche, complaisante avec elle-même et pitoyable.

Jed me prit à part pour me dire d'arrêter d'insulter Lulu — ce que je ne faisais même pas, j'étais simplement en train de la motiver — et qu'il ne pensait pas que la menacer servait à quelque chose. De plus, ajouta-t-il, peut-être Lulu ne pouvait-elle tout simplement pas exécuter cette technique, elle n'avait peut-être pas encore assez de coordination — avais-je envisagé cette éventualité ?

« Tu ne crois pas en elle, l'accusai-je.

— C'est ridicule, répondit Jed avec dédain. Évidemment que je crois en elle.

— Sophia était capable de jouer ce morceau au même âge.

— Mais Lulu et Sophia sont des personnes différentes, fit-il remarquer.

— Oh non, pas ça ! dis-je en roulant des yeux. “Tout le monde est particulier d'une façon particulière”, imitai-je avec sarcasme. Même les perdants sont particuliers d'une façon particulière. Eh bien, ne t'inquiète pas, tu n'as pas à lever le petit doigt. Je suis prête à y consacrer tout le temps nécessaire et je veux bien être celle qu'on déteste. Et toi tu peux être celui qu'elles adorent parce que tu leur fais des crêpes et que tu les emmènes voir des matchs de base-ball des Yankees. »

Je retroussai mes manches et retournai près de Lulu. J'utilisai toutes les armes et tactiques qui me venaient à l'esprit. Je la fis travailler jusqu'au soir en sautant le dîner, et je ne l'autorisai pas à se lever, ni pour boire de l'eau, ni même pour aller aux toilettes. La maison devint une zone de combat et je perdis ma voix à force de crier, mais il ne semblait pourtant y avoir aucune amélioration, et même moi je commençais à douter.

Quand soudain, de façon complètement inattendue, Lulu y parvint. Ses mains se réconcilièrent tout à coup — sa main droite et sa main gauche faisant chacune leur travail de façon imperturbable — comme ça.

Lulu s'en rendit compte en même temps que moi. Je retins mon souffle. Elle s'y hasarda de nouveau prudemment. Puis elle le joua avec plus d'assurance et plus vite, et le rythme était toujours maintenu. Un instant plus tard, son visage s'épanouit en un large sourire. « Maman, regarde. C'est facile ! » Après cela, elle voulut jouer le morceau à maintes reprises et refusait de quitter le piano. Ce soir-là, elle vint dormir dans mon lit, et nous nous faisions rire mutuellement, blotties dans les bras l'une de l'autre. Lorsqu'elle joua *Le Petit Âne blanc* à un récital quelques semaines plus tard, des parents vinrent me voir et me dirent : « Quel morceau idéal pour Lulu — il exige du cran et il lui ressemble tellement. »

Même Jed me reconnut du mérite cette fois-là. Les parents occidentaux s'inquiètent beaucoup de l'amour-propre de leurs enfants, mais l'une des pires choses qu'un parent puisse faire pour l'amour-propre de son enfant est de le laisser abandonner. À l'inverse, il n'y a rien de mieux pour prendre confiance en soi que de découvrir qu'on peut faire quelque chose dont on ne se croyait pas capable.

D'un côté, il y a tous ces nouveaux livres qui décrivent les mères asiatiques comme des personnes intrigantes, insensibles, surmenées et indifférentes aux vrais centres d'intérêt de leurs enfants. De l'autre, beaucoup de Chinois croient en leur for intérieur qu'ils se soucient de leurs enfants et sont prêts à se sacrifier pour eux bien plus que les Occidentaux, ces derniers semblant s'accommoder parfaitement de l'échec des leurs. Je pense qu'il y a un malentendu de part et d'autre, car tous les bons parents veulent faire ce qui est le mieux pour leurs enfants. Les Chinois ont simplement une idée complètement différente sur la façon de s'y prendre.

Les parents occidentaux essaient de respecter l'individualité de leurs enfants, les encouragent à se livrer à leurs vraies passions, les soutiennent dans leurs choix, et leur donnent un renforcement positif et un environnement enrichissant. En revanche, les Chinois croient que la meilleure façon de protéger leurs enfants est de les préparer pour l'avenir, en leur montrant de quoi ils sont capables, et en les armant de compétences, d'habitudes de travail et d'une confiance en soi que personne ne pourra jamais leur retirer.

12

LA CADENCE

Lulu soupira. Je ramenais les filles à la maison après l'école et j'étais de mauvaise humeur. Sophia venait tout juste de me rappeler que le Festival Médiéval de sa première année de collège approchait, et il n'y a rien que je déteste plus que ces projets et festivals dont les écoles privées se font une spécialité. Au lieu d'amener les enfants à étudier à partir des livres, les écoles privées essaient constamment de rendre l'apprentissage amusant en déléguant tout le travail aux parents.

Pour le projet « Passeport pour le monde entier » de Lulu, je devais préparer un plat équatorien (un ragoût de poulet cuit pendant quatre heures dans une sauce au rocou et servi avec des bananes plantains frites), apporter des objets équatoriens (un lama sculpté de Bolivie ; tout le monde n'y a vu que du feu), et trouver un vrai Équatorien avec qui Lulu puisse avoir un entretien (un étudiant de troisième cycle que je recrutai). Lulu devait réaliser le passeport — un morceau de papier plié en quatre et étiqueté « Passeport » — et se rendre au Festival de cuisine internationale qui présentait des spécialités d'une centaine de pays, chacun des plats ayant été préparé par un parent différent.

Mais ce n'était rien comparé au Festival Médiéval — le clou de la première année de collège — pour lequel chaque élève devait avoir un costume d'époque fait maison (qui ne pouvait être secrètement loué, ni sembler trop coûteux), apporter un plat du Moyen Âge préparé d'une façon authentiquement médiévale et, pour finir, construire une habitation moyenâgeuse.

J'étais donc d'humeur grincheuse ce jour-là, et j'étais en train de me demander quel architecte je pourrais bien embaucher — et comment m'assurer qu'il ne s'agirait pas du parent d'un autre élève — lorsque Lulu soupira de nouveau, plus profondément encore.

« Mon amie Maya a vraiment de la chance, dit-elle avec mélancolie. Elle a tellement d'animaux de compagnie. Deux perroquets, un chien et un poisson rouge. »

Je ne répondis pas. J'étais passée par là maintes et maintes fois avec Sophia.

« Et deux cochons d'Inde.

— C'est peut-être pour ça qu'elle en est encore au premier livre de violon, dis-je. Parce qu'elle passe son temps à s'occuper d'animaux.

— J'aimerais bien avoir un animal.

— Tu en as déjà un, rétorquai-je brusquement. Ton violon est ton animal de compagnie. »

Les animaux n'ont jamais vraiment été mon truc, et je n'avais pas d'animal de compagnie quand j'étais petite. Je n'ai pas fait d'enquête empirique rigoureuse, mais je pense que la plupart des familles immigrées chinoises aux États-Unis n'ont pas d'animaux domestiques. Les parents chinois sont trop occupés à être sévères avec leurs enfants pour élever un animal. De plus, ils ont généralement un budget serré — mon père porta la même paire de chaussures au travail pendant huit ans — et avoir un animal domestique est un luxe. Pour terminer, les Chinois ont une attitude différente envers les animaux, surtout les chiens.

Tandis qu'en Occident les chiens sont considérés depuis longtemps comme de fidèles compagnons, en Chine ils sont au menu. L'idée est tellement perturbante que ça semble être une diffamation ethnique, mais malheureusement c'est la vérité. La viande de chien, notamment la viande de chiot, est considérée comme un mets raffiné en Chine, et plus encore en Corée. Moi-même je ne mangerais jamais de viande de chien. J'adorais Lassie. Le chien intelligent et fidèle de Caddie Woodlawn, Nero, qui retrouve son chemin de Boston jusque dans le Wisconsin, est l'un de mes personnages littéraires préférés. Mais il y a une grande différence entre manger du chien et en posséder un, et il ne m'était jamais venu une seule fois à l'esprit que nous pouvions avoir un chien à la maison. Je n'en voyais simplement pas l'intérêt.

Pendant ce temps, mes répétitions de violon avec Lulu devenaient de plus en plus pénibles. « Arrête de me tourner autour, disait-elle. Tu me rappelles Lord Voldemort. Je ne peux pas jouer quand tu es trop près de moi. »

Contrairement aux parents occidentaux, ça ne m'ennuyait

pas que je puisse rappeler Lord Voldemort à ma fille. J'essayais juste de rester concentrée. « Fais une petite chose pour moi, Lulu, disais-je raisonnablement. Une toute petite chose : rejoue la phrase, mais cette fois maintiens ton vibrato parfaitement égal. Et veille à passer en douceur de la première à la troisième position. Et souviens-toi d'utiliser l'archet dans son entier, parce que c'est à jouer *fortissimo*, avec un peu plus de vitesse d'archet à la fin. Et n'oublie pas non plus de garder ton pouce droit plié et ton petit doigt gauche arrondi. Vas-y, joue. »

Lulu réagissait en ne faisant rien de ce que je lui demandais. Quand ça m'exaspérait, elle disait : « Pardon ? Qu'est-ce que tu voulais que je fasse déjà ? »

D'autres fois, quand je lui donnais des instructions, Lulu pinçait fortement les cordes comme si elle jouait du banjo, ou bien, pire encore, elle commençait à faire tournoyer son violon comme un lasso jusqu'à ce que je hurle d'horreur. Quand je lui disais de se tenir bien droite et de relever son violon, elle s'effondrait par terre et faisait la morte en tirant la langue. Et toujours le même refrain : « Ça y est, on a fini ? »

Pourtant, à d'autres moments, Lulu semblait adorer le violon. Après avoir répété avec moi, elle voulait parfois jouer plus longtemps toute seule et remplissait la maison de ses sonorités magnifiques, oublieuse du temps qui passe. Elle demandait d'emmener son violon à l'école et rentrait toute rouge de plaisir après avoir joué pour sa classe. Ou bien elle venait jusqu'à moi en courant quand j'étais devant mon ordinateur et lançait : « Maman, devine quel est mon morceau préféré de Bach ! » J'essayais de deviner — à vrai dire, je trouvais dans à peu près 70 % des cas — et elle répondait soit : « Ça alors, mais comment le sais-tu ? » ou bien : « Eh non, c'est celui-là. C'est joli, n'est-ce pas ? »

S'il n'y avait pas eu ces moments-là, j'aurais probablement fini par abandonner. Ou peut-être pas. En tout cas, comme pour Sophia avec le piano, j'avais les plus grands espoirs pour Lulu avec le violon. Je voulais qu'elle gagne le concours de concerto de la région de New Haven, afin qu'elle puisse elle aussi jouer comme soliste à la chapelle Battell. Je voulais qu'elle devienne premier violon du meilleur orchestre de jeunes. Je voulais qu'elle soit la meilleure violoniste du Connecticut — et ça, c'était en guise de hors-d'œuvre. Je savais que c'était la seule façon pour elle d'être heureuse. Si bien que plus Lulu perdait de temps — en chicanant avec moi, en travaillant sans enthousiasme, en faisant le pitre — plus je la faisais jouer longtemps. « On va bien jouer ce morceau, lui disais-je, quel que soit le temps que ça prendra. C'est à toi de voir. On peut rester ici jusqu'à minuit s'il le faut. » Et c'est parfois arrivé.

« Mon amie Daniela était sidérée de savoir combien de temps je répète, dit Lulu un après-midi. Elle n'arrivait pas à y croire. Je lui ai dit que j'en faisais six heures par jour, et elle a fait… » Et là Lulu imita Daniela bouche bée.

« Tu n'aurais pas dû parler de six heures de répétition, Lulu. Elle va se méprendre. Ça ne dure six heures que lorsque tu en perds cinq. »

Lulu ne releva pas. « Daniela était vraiment navrée

pour moi. Elle m'a demandé quand j'avais le temps de faire autre chose. Je lui ai dit que je n'ai pas vraiment de temps pour faire quoi que ce soit d'amusant parce que je suis chinoise. »

Je me mordis la langue et ne répondis rien. Lulu réunissait toujours des alliés, rassemblait ses troupes. Mais ça m'était égal. En Amérique, tout le monde prendrait toujours son parti. Je n'allais pas me laisser affecter par les pressions de l'entourage. Les rares fois où je l'ai fait, je l'ai regretté.

Une fois, par exemple, j'autorisai Sophia à faire une soirée pyjama chez des copines. C'était une exception. Quand j'étais petite, ma mère avait l'habitude de dire : « Pourquoi as-tu besoin de dormir chez quelqu'un d'autre ? Qu'est-ce qui ne va pas chez nous ? » En tant que parent, j'adoptais la même position, mais à cette occasion Sophia me supplia encore et encore, et, dans un moment de faiblesse qui ne me ressemble pas, je finis par céder. Le lendemain matin, elle rentra non seulement épuisée (et incapable de bien jouer au piano) mais d'humeur revêche et exécrable. Il s'avère que les soirées pyjamas ne sont pas drôles du tout pour beaucoup d'enfants — elles peuvent être une sorte de punition que les parents infligent sans le savoir à leurs enfants par permissivité. Après avoir tiré les vers du nez à Sophia, j'appris que A, B et C avaient exclu D ; que B avait cancané méchamment sur E quand elle était dans l'autre pièce ; et que F, douze ans, avait parlé toute la nuit de ses exploits sexuels. Sophia n'avait pas besoin d'être exposée au pire de la société occidentale, et je n'allais pas laisser des lieux communs tels que « Les enfants ont besoin d'explorer » ou « Ils ont besoin de faire leurs propres erreurs » me détourner du droit chemin.

Il y a beaucoup de choses que les Chinois font différemment des Occidentaux. Il y a, par exemple, la question des exercices optionnels qui donnent des points supplémentaires. En rentrant un jour de l'école, Lulu me parla d'un contrôle de maths qu'elle venait d'avoir et me dit qu'elle pensait que ça s'était extrêmement bien passé, ce pourquoi elle n'avait pas ressenti le besoin de résoudre les problèmes optionnels.

Je restai sans voix pendant un instant, sans comprendre. « Et pourquoi donc ? lui demandai-je. Pourquoi ne les as-tu pas faits ?

— Je ne voulais pas manquer la récréation. »

Un principe fondamental de la sinité est qu'on doit toujours faire tous les exercices optionnels et obtenir tous les points supplémentaires tout le temps.

« Pourquoi ? » s'enquit Lulu quand je le lui expliquai.

Pour ma part, c'était comme me demander pourquoi je respire.

« Aucun de mes copains ne les fait, ajouta Lulu.

— Ce n'est pas vrai, dis-je. Je suis sûre à cent pour cent qu'Amy et Junno ont fait les problèmes optionnels. » Amy et Junno étaient les enfants asiatiques de la classe de Lulu. Et j'avais raison à leur sujet ; Lulu le reconnut.

« Mais Rashad et Ian les ont faits eux aussi, et ils ne sont pas asiatiques, ajouta-t-elle.

— Ah, ah ! Beaucoup de tes amis les ont donc faits, les problèmes optionnels ! Et je n'ai pas dit que seuls les Asiatiques les font. Tout élève qui a de bons parents sait qu'il faut faire ce qui est donné en option. Je suis sous le choc, Lulu. Qu'est-ce que ton professeur va penser de toi ? Tu es allée à la *récréation* au lieu de faire les *exercices optionnels* ? » J'étais au bord des larmes. « Les exercices optionnels ne sont pas *optionnels*. Ce sont des points en plus. C'est ce qui distingue les bons élèves des mauvais élèves.

— Oh, mais on s'amuse tellement à la récré », offrit Lulu comme ultime boutade.

Mais après cela, Lulu, comme Sophia, fit toujours tout ce qui était donné en option. Il arrivait parfois que les filles obtiennent plus de points pour les exercices optionnels que pour le contrôle lui-même — une absurdité qui n'arriverait jamais en Chine. Les exercices optionnels sont l'une des raisons pour lesquelles les enfants asiatiques sont connus pour obtenir de si bonnes notes aux États-Unis.

L'apprentissage par cœur et l'entraînement intensif en sont une autre. Une fois, Sophia arriva deuxième à un test de rapidité en multiplication que son instituteur donnait tous les vendredis en dernière année d'école élémentaire. Elle s'était fait battre par un garçon coréen qui s'appelait Yoon-seok. Pendant la semaine qui suivit, j'imposai tous les soirs à Sophia une vingtaine de tests d'entraînement (de cent problèmes chacun), chronomètre en main. Après cela, elle arriva première à chaque fois. Pauvre Yoon-seok. Il retourna en Corée avec sa famille, mais probablement pas à cause du test de rapidité.

S'entraîner plus que tout le monde est aussi la raison pour laquelle les enfants asiatiques dominent dans les meilleurs conservatoires de musique. C'est comme ça que Lulu continuait d'impressionner M. Shugart chaque samedi par la rapidité de ses progrès. « Tu comprends tellement vite, disait-il fréquemment. Tu vas devenir une grande violoniste. »

À l'automne 2005, alors que Lulu avait neuf ans, M. Shugart déclara : « Lulu, je crois que tu es prête pour jouer un concerto. Que dirais-tu de laisser un peu de côté les volumes Suzuki ? » Il voulait qu'elle apprenne le *Concerto n° 23 en sol majeur* de Viotti. « Si tu travailles vraiment dur, je parie que tu seras prête pour jouer le premier mouvement pour le récital d'hiver. Seulement, ajouta-t-il pensivement, il y a une cadence difficile dans ce morceau. » M. Shugart était rusé et il comprenait Lulu. Une cadence est une partie spéciale, généralement à la fin d'un mouvement de concerto, pendant laquelle le soliste joue seul. « C'est un peu une occasion de frimer, dit M. Shugart, mais c'est vraiment long et difficile. La plupart des enfants de ton âge ne seraient pas capables de le jouer. »

Lulu semblait être intéressée. « De quelle longueur est-elle ?

— La cadence ? demanda M. Shugart. Oh, elle est très longue. Environ une page.

— Je crois que je peux y arriver », dit Lulu. Elle était pleine de confiance et, tant que ce n'était pas moi qui la forçais à le faire, elle adorait relever un défi.

Nous plongions dans Viotti et les combats s'intensifiaient. « Calme-toi, maman, disait Lulu d'une façon exaspérante. Tu recommences à devenir hystérique et à respirer bizarrement. On a encore un mois pour répéter. » La seule chose à laquelle je pensais, c'était tout le travail qui nous attendait. Quoique relativement simple, le concerto de Viotti était nettement plus exigeant que ce que Lulu avait l'habitude de jouer. La cadence était remplie de passages rapides d'une corde à l'autre, ainsi que de doubles cordes et triples cordes — des notes jouées simultanément sur deux ou trois cordes différentes, l'équivalent des accords au piano — qu'il était difficile de jouer juste.

Je voulais que la cadence soit bonne. Ça devenait une sorte d'obsession pour moi. Le reste du Viotti n'était pas mal — certaines parties étaient un peu pédantes — mais M. Shugart avait raison : c'était la cadence qui rendait tout le morceau digne d'intérêt. Et, environ une semaine avant le récital, je réalisai que la cadence de Lulu pouvait se révéler spectaculaire. Elle faisait chanter les parties mélodiques de façon exquise ; d'une manière ou d'une autre, c'était intuitif chez elle. En revanche, les parties qui exigeaient de la précision technique n'étaient pas aussi bonnes — en particulier une série étourdissante de doubles cordes et de changements de cordes vers la fin. Pendant les répétitions, ces passages étaient toujours joués au petit bonheur la chance. Si Lulu était de bonne humeur et se concentrait, elle pouvait y arriver ; si elle était de mauvaise humeur ou distraite, la cadence tombait à plat. Mais ce qu'il y avait de pire, c'était que je ne pouvais aucunement contrôler son humeur.

Puis j'eus une révélation. « Lulu, lui dis-je, je te propose une affaire.

— Oh non, ça ne va pas recommencer, grommela-t-elle.

— C'est une bonne affaire, Lulu. Ça va te plaire.

— Quoi donc, que je répète deux heures et je serai dispensée de mettre le couvert ? Non merci, maman.

— Lulu, écoute-moi juste une seconde. Si tu joues vraiment bien la cadence samedi, mieux que tu ne l'as jamais jouée, je te donnerai quelque chose d'incroyable, quelque chose que *je sais que tu vas adorer*. »

Lulu eut un air de dédain. « Tu veux dire, genre, un cookie ? Ou cinq minutes de jeu vidéo ? »

Je secouai la tête. « Quelque chose de tellement incroyable que même toi tu ne pourras pas y résister.

— Aller jouer chez une copine ? »

Je hochai la tête négativement.

« Du chocolat ? »

Je secouai de nouveau la tête, et c'était à mon tour d'être dédaigneuse. « Tu penses que je pense que tu ne peux pas résister au *chocolat* ? Je te connais un peu mieux que ça, Lulu. J'ai en tête quelque chose que jamais, je dis bien JAMAIS, tu ne devineras. »

Et j'avais raison. Elle fut incapable de deviner, peut-être parce que c'était tellement hors du champ des possibles, compte tenu des données disponibles.

Finalement, je le lui dis. « C'est un animal. Un chien. Si tu m'offres une super cadence samedi, je nous prendrai un chien. »

Pour la première fois de sa vie, Lulu était ébahie. « Un… chien ? répéta-t-elle. Un vivant ? ajouta-t-elle avec méfiance.

— Oui, un chiot. Sophia et toi pourrez décider de quelle espèce. »

Et c'est comme ça que je fus plus maligne que moi-même, changeant ainsi nos vies à tout jamais.

DEUXIÈME PARTIE

Les Tigres sont toujours tendus et aiment être pressés. Ils sont très sûrs d'eux, et peut-être trop parfois. Ils aiment être obéis, et pas l'inverse. Les métiers qui conviennent le mieux aux Tigres sont : agent de publicité, chef de bureau, agent de voyages, acteur, écrivain, pilote, steward, musicien, comédien, et chauffeur.

13

COCO

Coco est notre chienne, le premier animal de compagnie que j'aie jamais eu, contrairement à Jed qui, lorsqu'il était enfant, avait un chien bâtard nommé Frisky. Celui-ci, qui aboyait beaucoup, fut enlevé et exécuté par des voisins malveillants pendant que la famille était en vacances. C'est du moins ce que Jed a toujours suspecté. Il se peut que Frisky se soit simplement perdu et qu'il ait été recueilli par une famille affectueuse de Washington.

En théorie, Coco n'était pas le premier animal de Sophia et de Lulu non plus. Nous avions précédemment subi une épreuve qui, heureusement, n'avait pas duré longtemps. Quand les filles étaient très jeunes, Jed leur acheta un couple de lapins domestiques nommés Whiggy et Tory, qui m'ont déplu dès que je les ai vus et avec lesquels je ne voulais rien avoir à faire. Ils étaient inintelligents et pas du tout ce qu'ils prétendaient être. Le vendeur de l'animalerie avait dit à Jed qu'il s'agissait de lapins nains qui resteraient petits et mignons. C'était un mensonge. En quelques semaines, ils avaient grossi jusqu'à devenir énormes, se déplaçaient comme des lutteurs de sumo — ressemblaient à des lutteurs de sumo — et pouvaient à peine entrer dans leur cage de quatre-vingt-dix centimètres sur soixante. Quoique mâles tous les deux, ils essayaient constamment de s'accoupler, ce qui rendait les choses très embarrassantes pour Jed. « Qu'est-ce qu'ils font, papa ? » n'arrêtaient pas de demander les filles. Les lapins finirent par s'échapper mystérieusement.

Coco est un samoyède, un chien blanc à peu près de la taille d'un husky sibérien, au poil doux et aux yeux sombres en amande. Les samoyèdes sont célèbres pour leur sourire et leur queue épaisse enroulée sur le dos. Coco a le sourire du samoyède et sa fourrure est d'un blanc éblouissant. Pour une raison ou pour une autre, la queue de Coco est un peu courte et ressemble plus à un pompon qu'à une queue en panache, mais elle est quand même d'une beauté extraordinaire. Bien que ça n'ait pas été prouvé scientifiquement, on dit que les samoyèdes descendent des loups, mais leur personnalité est diamétralement opposée. Ce sont des animaux doux, gentils, amicaux et affectueux, et par conséquent de piètres chiens de garde. Originaires de Sibérie, ils tiraient les traîneaux le jour et réchauffaient leurs maîtres la nuit en dormant sur eux. Pendant l'hiver, Coco nous tient chaud de la même façon. Une autre chose agréable chez les samoyèdes est qu'ils ne sentent pas le chien. Coco a une bonne odeur de paille fraîche.

Coco est née le 26 janvier 2006. Avorton de la portée, elle a toujours été exceptionnellement timide. Quand nous sommes allés la chercher à l'âge de trois mois, elle était une boule de poils blancs toute tremblante. (Les bébés samoyèdes ressemblent à des oursons polaires et il n'y a rien de plus mignon.) Pendant le voyage de retour dans la voiture, elle se blottit dans un coin de sa caisse, frissonnante. À la maison, elle avait trop peur pour pouvoir manger quoi que ce soit. À ce jour, elle est environ dix pour cent plus petite que la plupart des samoyèdes. Elle a aussi une peur folle du tonnerre, des voix en colère, des chats et des petits chiens méchants, et encore maintenant elle refuse de descendre l'étroit escalier de derrière. En d'autres termes, Coco est le contraire d'un chef de meute.

Néanmoins, ignorant tout de la façon d'élever les chiens, mon premier réflexe fut d'appliquer à Coco le modèle chinois d'éducation des enfants. J'avais entendu parler de chiens qui savent compter et exécuter la manœuvre de Heimlich, et l'éleveur nous dit que les samoyèdes sont très intelligents. J'avais aussi entendu parler de samoyèdes célèbres : Kaifas et Suggen étaient chiens de tête lors de la célèbre tentative d'atteindre le pôle Nord de l'explorateur Fridtjof Nansen en 1895 ; un samoyède nommé Etah était celui de la première expédition qui réussit à rejoindre le pôle Sud en 1911. Coco était incroyablement rapide et agile, et je voyais bien qu'elle avait un vrai potentiel. Plus Jed faisait gentiment remarquer qu'elle n'avait pas une personnalité ultraperformante et que l'intérêt d'avoir un animal de compagnie n'est pas nécessairement de le porter au plus haut niveau, plus j'étais convaincue que Coco avait un talent caché.

Entreprenant des recherches approfondies, j'achetai de nombreux ouvrages et j'appréciai particulièrement celui des moines de New Skete sur l'art d'élever un chiot (*The Art of Raising a Puppy*). Je me liai d'amitié avec d'autres propriétaires de chiens de mon quartier et reçus des conseils utiles sur les parcs canins et sur les activités pour chiens. Je trouvai un lieu qui offrait un cours de maternelle pour toutous — condition préalable pour accéder aux cours d'un niveau supérieur — et je nous y inscrivis.

Mais il y avait d'abord le b.a.-ba, comme apprendre à être propre. Ça s'est révélé plus difficile que je ne l'imaginais. En fait, ça a pris plusieurs mois. Mais quand nous y sommes finalement parvenus — Coco courait à la porte et faisait signe dès qu'elle avait besoin de sortir — c'était comme un miracle.

À peu près à ce moment-là, si incroyable que cela puisse paraître, un facteur d'épuisement commença à poindre chez les autres membres de ma famille. Jed, Sophia et Lulu semblaient estimer que Coco avait reçu assez de dressage — bien que la seule compétence qu'elle eût acquise fût celle de ne plus faire ses besoins sur nos tapis. Ils voulaient seulement la serrer dans leurs bras et la caresser, et jouer avec elle dans le jardin. Me voyant sidérée, Jed remarqua que Coco pouvait aussi s'asseoir et rapporter des objets, et qu'elle excellait au frisbee.

Malheureusement, c'était là tout ce que Coco savait faire. Elle ne réagissait pas à l'ordre « Viens ». Pire, à moins que cela ne vienne de Jed — qui avait démontré très tôt qu'il était le mâle dominant de la famille —, Coco n'obéissait pas quand on lui disait « non », ce qui signifiait qu'elle mangeait les crayons, les DVD et toutes mes plus belles chaussures. Chaque fois que nous organisions un dîner à la maison, elle faisait semblant de dormir dans la cuisine jusqu'à ce qu'on sorte les amuse-gueules. Ensuite elle filait comme une flèche au salon, se saisissait d'un pâté entier, et décrivait des cercles en galopant tandis que le pâté virevoltait et se réduisait à mesure qu'elle le dévorait. Elle était si rapide qu'il nous était impossible de l'attraper.

Coco ne marchait pas non plus ; elle fonçait à toute allure. Ça me posait un problème, car c'était moi qui allais toujours la promener, ce qui signifiait en l'occurrence que j'étais traînée à quatre-vingts kilomètres à l'heure souvent en plein dans un tronc d'arbre (quand elle courait après un écureuil) ou dans le garage de quelqu'un d'autre (quand elle courait après un écureuil). Je fis remarquer tout cela à ma famille, mais aucun de ses membres ne sembla s'en soucier. « Je n'ai pas le temps… Il faut que je joue du piano », marmonna Sophia. « Pourquoi faut-il qu'elle marche ? » demanda Lulu.

Un jour que je revenais d'une « promenade » avec les coudes éraflés et les genoux tachés d'herbe, Jed me dit : « C'est dans sa nature de samoyède. Elle pense que tu es un traîneau et elle veut te tirer. Laissons tomber l'idée de lui apprendre à marcher. Pourquoi ne pas tout simplement acheter un chariot dans lequel tu t'assiérais et que Coco pourrait tirer derrière elle ? »

Mais je ne voulais pas être le conducteur de char du

quartier. Et je ne voulais pas baisser les bras. Si n'importe quel autre chien pouvait marcher, pourquoi pas le nôtre ? J'étais donc seule à relever le défi. Appliquant les recommandations de certains ouvrages, je menais Coco dans l'allée de notre maison pour lui faire faire des cercles, la récompensant avec des morceaux de steak haché si elle ne tirait pas. J'émettais des sons graves et menaçants quand elle n'obéissait pas, et des sons aigus d'approbation dès qu'elle s'exécutait. Je l'emmenais faire des promenades sur moins d'une centaine de mètres, mais ça prenait un temps fou car je devais m'arrêter net et compter jusqu'à trente chaque fois que la laisse se tendait. Et finalement, après que tout eut échoué, je suivis le conseil d'un autre propriétaire de samoyède et achetai un harnais compliqué qui faisait pression sur la cage thoracique de Coco lorsqu'elle tirait.

C'est à peu près à cette période qu'Alexis et Jordan, mes amis glamour de Boston, vinrent nous rendre visite avec Millie et Bascha, leurs élégantes chiennes au pelage couleur sable — deux sœurs de race berger australien du même âge que Coco, mais qui étaient plus petites et avaient le poil lustré. Millie et Bascha étaient d'une efficacité étonnante. Chiens de berger dans l'âme, elles faisaient équipe et essayaient tout le temps de rassembler Coco, qui ressemble un peu à un mouton — et qui, en leur présence, se comportait comme un mouton. Millie et Bascha cherchent toujours un angle. Elles peuvent faire des choses comme ouvrir une porte fermée à clé ou des paquets de spaghettis — choses qui ne viendraient même pas à l'esprit de Coco.

« Ça alors, dis-je à Alexis ce soir-là pendant l'apéritif, je n'arrive pas à croire que Millie et Bascha soient allées se chercher de l'eau en ouvrant votre tuyau d'arrosage. C'est impressionnant.

— Le berger australien est comme le border collie, dit Alexis. Peut-être à cause de leurs origines de chiens de berger, ils sont censés être très intelligents, du moins selon les classements de certains de ces sites Web que je ne suis pas sûr de gober.

— Des classements ? Quels classements ? » Je me versai un autre verre de vin. « Comment les samoyèdes sont-ils classés ?

— Oh… Je ne m'en souviens pas, dit Alexis d'un air gêné. Je pense que l'idée même de classer les chiens selon leur intelligence est idiote, de toute façon. Je ne m'en ferais pas pour ça. »

Dès qu'Alexis et Jordan furent partis, je me précipitai sur l'ordinateur pour faire une recherche Internet avec les mots clés « chien intelligence classement ». Les pages les plus visitées étaient celles proposant une liste des « dix chiens les plus intelligents » établie par docteur Stanley Coren, un neuropsychologue à l'université de Colombie-Britannique. Je fis défiler la liste en y cherchant éperdument le mot « samoyède ». Rien. Je trouvai une liste plus longue. Les samoyèdes étaient classés trente-troisièmes sur soixante-dix-neuf — pas les chiens les plus bêtes (cet honneur revenait au lévrier afghan) mais clairement d'une intelligence moyenne.

J'étais écœurée. Je continuai mes recherches, de façon plus ciblée. À mon immense soulagement, je découvris qu'il y avait méprise. Selon tous les sites Internet consacrés aux samoyèdes par des spécialistes de cette race, ces chiens étaient extrêmement intelligents. S'ils n'avaient pas tendance à bien réussir les tests d'intelligence pour chiens, c'est parce que ces tests étaient tous fondés sur la capacité à être dressé, or les samoyèdes sont connus pour être difficiles à dresser. Pourquoi ? Précisément parce qu'ils sont *extraordinairement intelligents*, et par conséquent peuvent être obstinés. Voici une explication très éclairante de Michael D. Jones :

> Leur intelligence et leur nature fortement indépendante font que le dressage de ces chiens représente un défi ; là où un golden retriever, par exemple, pourra travailler *pour* son maître, un samoyède travaillera *avec* son maître ou pas du tout. Se faire respecter par son chien est une condition préalable au dressage. Ils apprennent vite, mais il faut réussir à enseigner au chien à se comporter de façon fiable sans atteindre son seuil d'ennui. Ce sont par ces caractéristiques que les samoyèdes ont gagné l'appellation de « chiens obéissants non traditionnels ».

Je découvris autre chose. Fridtjof Nansen, le célèbre explorateur norvégien — et lauréat du prix Nobel de la paix — qui réussit presque à atteindre le pôle Nord, avait mené une analyse comparative approfondie des chiens avant son expédition de 1895. Ses conclusions montrèrent que « *les samoyèdes surpassent les autres races* en détermination, concentration, endurance, et par leur pulsion instinctive à travailler dans n'importe quelles conditions ».

En d'autres termes, contrairement à l'« étude » du « docteur » Stanley Coren, les samoyèdes étaient en fait exceptionnellement intelligents et travailleurs, et dotés de plus de concentration et de détermination que les autres races. Mon moral remontait en flèche. Pour moi, c'était la combinaison parfaite de qualités. S'il ne s'agissait que de gérer un côté têtu et désobéissant, c'était tout à fait à ma portée.

Un soir, après une prise de bec avec les filles à propos de la musique, je me disputai avec Jed. S'il m'a toujours soutenue en tout, il craignait que j'insiste trop, qu'il y ait trop de tensions et pas assez de moments de répit dans la maison. En retour, je l'accusai d'être égoïste et de ne penser qu'à lui. « Tu ne penses à rien d'autre qu'à écrire tes livres et à ton propre avenir, attaquai-je. Quels rêves as-tu pour Sophia ou pour Lulu ? T'arrive-t-il seulement d'y songer ? Quels sont tes rêves pour Coco ? »

Jed me regarda soudain d'un drôle d'air, avant d'éclater de rire une seconde plus tard. Il s'approcha de moi et déposa un baiser sur le sommet de mon crâne. « Des rêves pour Coco… C'est vraiment amusant, Amy, dit-il avec affection. Ne t'inquiète pas. On trouvera une solution. »

Je ne comprenais pas ce qu'il y avait de si amusant, mais j'étais contente que notre dispute soit terminée.

14

LONDRES, ATHÈNES, BARCELONE, BOMBAY

Je suppose que j'ai un peu tendance à faire la morale et, comme beaucoup de moralisateurs, j'ai quelques thèmes favoris sur lesquels je reviens tout le temps. Par exemple, il y a ma série de cours magistraux sur l'antisectarisme — la moutarde me monte au nez rien que d'y penser.

Chaque fois que j'entends Sophia ou Lulu rire sottement en entendant un nom étranger — que ce soit Freek de Groot ou Kwok Gum —, je me mets en pétard. « Savez-vous combien vous paraissez ignorantes et intolérantes ? leur dis-je avec colère. Jasminder et Parminder sont des prénoms populaires en Inde. Et que ça vienne de cette famille, quelle honte ! Le père de ma mère s'appelait Go Ga Yong — vous trouvez ça drôle ? J'aurais dû appeler l'une de vous comme ça. Ne jugez jamais les gens d'après leurs noms. »

Je ne crois pas que mes filles se moqueraient jamais de l'accent étranger de quelqu'un, mais peut-être l'auraient-elles fait si je n'avais pas pris les devants. Les enfants peuvent être terriblement cruels. « Ne vous moquez jamais des accents étrangers, les ai-je exhortées à maintes reprises. Savez-vous ce qu'est un accent étranger ? C'est un signe de courage. Ce sont là des gens qui ont traversé un océan pour venir dans ce pays. Mes parents avaient un accent — moi aussi j'avais un accent. On m'a expédiée à la maternelle sans que je sache un mot d'anglais, et même à l'école primaire mes camarades de classe se moquaient de moi. Savez-vous ce que sont devenus ces enfants ? Ils sont concierges, voilà ce qu'ils sont devenus.

— Comment le sais-tu ? demanda Sophia.

— Je pense qu'il est plus important, Sophia, que tu te demandes comment ce serait si tu t'installais en Chine. Crois-tu que ton accent serait parfait ? Je ne veux pas que tu sois une Américaine étroite d'esprit. Sais-tu à quel point les Américains sont gros ? Eh bien, voilà qu'après avoir été maigres pendant trois mille ans, les Chinois en Chine sont soudain en train de grossir eux aussi, et c'est parce qu'ils mangent aux Kentucky Fried Chicken.

— Mais attends une minute, dit Sophia. N'as-tu pas raconté que, quand tu étais petite, tu étais tellement grosse que tu ne rentrais dans aucun vêtement de prêt-à-porter et que ta mère devait te coudre des vêtements ?

— C'est exact.

— Et que tu étais grosse à ce point parce que tu t'empiffrais des nouilles et des raviolis de ta mère, continua Sophia. N'as-tu pas mangé quarante-cinq raviolis à la vapeur un jour ?

— C'est tout à fait vrai, répondis-je. Mon père était tellement fier de moi. C'était dix raviolis de plus que ce qu'il pouvait manger. Et trois fois plus que ma sœur Michelle. Elle était maigrichonne.

— Alors la nourriture chinoise peut aussi faire grossir », insista Sophia.

Ma logique n'était peut-être pas sans faille. Mais j'essayais de démontrer quelque chose. J'attache une grande valeur au cosmopolitisme et, pour veiller à ce que les filles soient exposées à différentes cultures, Jed et moi les avons toujours emmenées avec nous partout où nous avons voyagé — même si, lorsque les filles étaient petites, nous devions parfois dormir tous ensemble dans le même lit pour que les voyages restent abordables. Résultat, à l'âge de douze et neuf ans, les filles avaient déjà visité Londres, Paris, Nice, Rome, Venise, Milan, Amsterdam, La Haye, Barcelone, Madrid, Málaga, le Lichtenstein, Monaco, Munich, Dublin, Bruxelles, Bruges, Strasbourg, Pékin, Shanghai, Tokyo, Hong Kong, Manille, Istanbul, Mexico, Cancún, Buenos Aires, Santiago, Rio de Janeiro, São Paulo, La Paz, Sucre, Cochabamba, la Jamaïque, Tanger, le rocher de Gibraltar, Fès, Johannesburg et Le Cap.

Pendant toute l'année, nous attendions tous les quatre avec impatience de partir en vacances. Bien souvent, nous faisions en sorte que nos voyages coïncident avec ceux de mes parents et de Cindy à l'étranger, et nous nous retrouvions tous les sept à voyager ensemble dans un gigantesque camping-car de location que Jed conduisait. Nous rigolions quand les passants nous dévisageaient en essayant de comprendre notre drôle de mélange racial. (Jed était-il le fils blanc adoptif d'une famille asiatique ? Ou un trafiquant humain qui allait tous nous vendre comme esclaves ?) Sophia et Lulu adoraient leurs grands-parents, et réciproquement — ces derniers se comportant avec elles d'une manière ridiculement laxiste et en totale contradiction avec la façon dont ils m'avaient élevée.

Les filles étaient particulièrement fascinées par mon père, qui ne ressemblait à personne de leur connaissance. Il disparaissait constamment dans des allées pour s'en revenir avec des spécialités locales plein les bras, comme les raviolis à la vapeur à Shanghai ou la socca à Nice. (Mon père aime goûter à tout ; dans les restaurants occidentaux il commande souvent deux plats de résistance.) Nous nous retrouvions tout le temps dans des situations complètement dingues : en panne d'essence en haut d'un col de montagne, ou dans le train à partager le même wagon que des contrebandiers marocains. Nous avons vécu de formidables aventures, et ce sont là des souvenirs que nous chérissons tous.

Il y avait juste un problème : les répétitions.

À la maison, les filles ne passaient jamais un seul jour sans jouer du piano et du violon, pas même les jours où elles fêtaient leurs anniversaires, ni même ceux où elles étaient malades (ibuprofène) ou venaient de subir une opération de chirurgie dentaire (paracétamol et codéine). Je ne voyais pas pourquoi nous devions manquer un jour pendant nos voyages. Même mes parents n'approuvaient pas. « C'est insensé, disaient-ils en secouant la tête. Laisse les filles profiter de leurs vacances. Ne pas répéter pendant quelques jours ne changera rien. » Mais les musiciens sérieux ne le voient pas de la même façon. Pour reprendre les mots du professeur de violon de Lulu, M. Shugart : « Chaque jour où tu ne répètes pas est un jour où tu deviens mauvaise. » De plus, comme je le faisais remarquer aux filles : « Savez-vous ce que feront les Kim pendant que nous sommes en vacances ? Ils répéteront. Les Kim ne prennent pas de vacances. Voulons-nous qu'ils prennent de l'avance sur nous ? »

Dans le cas de Lulu, la logistique était aisée. Le violon était le bagage à main de Lulu et rentrait parfaitement dans le compartiment à bagages au-dessus des sièges. Les choses étaient plus compliquées avec Sophia. Si nous allions quelque part aux États-Unis, un ou deux appels téléphoniques longue distance faisaient généralement l'affaire. Il s'avère que les hôtels américains regorgent de pianos. Il est typique qu'il y en ait un dans le hall d'entrée de l'hôtel et au moins deux dans les diverses salles de réception et de conférences. J'appelais simplement le concierge de l'hôtel à l'avance pour réserver la grande salle de bal du Marriott à Chicago de six heures à huit heures du matin, ou la salle Wentworth de l'hôtel Langham à Pasadena de dix heures du soir jusqu'à minuit. De temps à autre, il y avait quelques pépins. Sur l'île de Maui, le concierge de l'hôtel Grand Wailea installa un clavier électronique dans la salle de restaurant « Volcano Bar ». Mais il manquait deux octaves au clavier pour pouvoir jouer la *Polonaise en do dièse mineur* de Chopin, et il y avait au même moment une classe de plongée avec tuba qui empêchait de se concentrer, si bien que Sophia finit par répéter dans une réserve au sous-sol, où ils remettaient à neuf un petit piano à queue.

Il était beaucoup plus difficile de trouver des pianos pour Sophia dans les pays étrangers, et il fallait souvent faire preuve d'ingéniosité. Parmi tous les endroits où nous sommes allés, Londres se révéla étonnamment compliqué. Nous y passions quatre jours car Jed recevait un prix pour son livre *L'Interprétation des meurtres*, un thriller historique inspiré de la seule et unique visite de Sigmund Freud aux États-Unis en 1909. Le livre de Jed fut pendant quelque temps la meilleure vente au Royaume-Uni, où on le considérait un peu comme une célébrité. Ça ne m'aidait pas le moins du monde sur le front musical. Lorsque je demandai à la concierge de notre petit hôtel de luxe de Chelsea (offert par l'éditeur de Jed) si nous pouvions trouver un créneau pour répéter sur le piano de leur bibliothèque, elle parut horrifiée comme si j'avais demandé de transformer l'hôtel en camp de réfugiés laotiens.

« La *bibliothèque* ? Oh ! mon Dieu, non, je ne crois pas que ce soit possible. »

Plus tard, ce jour-là, une femme de chambre signala à ses supérieurs que Lulu jouait du violon dans notre chambre, et on la pria d'arrêter. Heureusement, en cherchant sur Internet, je trouvai un lieu à Londres qui louait à l'heure des salles de répétition de piano pour une somme modique. Chaque jour, pendant que Jed était interviewé à la radio et à la télévision, les filles et moi quittions l'hôtel au pas de charge pour prendre un autobus jusqu'au magasin qui ressemblait à un funérarium et se trouvait comprimé entre deux marchands de falafels. Au bout d'une heure et demie de répétition, nous reprenions l'autobus pour rentrer à l'hôtel.

Nous avons fait ce genre de choses partout dans le monde. À Louvain, en Belgique, nous répétions dans un ancien couvent. Dans une autre ville — je ne sais plus laquelle — je trouvai un restaurant espagnol qui autorisa Sophia à répéter sur leur piano entre trois et cinq heures de l'après-midi, pendant que les employés passaient la serpillière et préparaient les tables pour le service du soir. De temps à autre, Jed était contrarié que les vacances deviennent tendues à cause de moi. « Alors, va-t-on visiter le Colisée cet après-midi, disait-il sur un ton sarcastique, ou retourner à ce magasin de piano ? »

Sophia se mettait aussi en colère contre moi. Elle ne supportait pas de m'entendre dire aux gens de l'hôtel qu'elle était « pianiste de concert ». « Ne dis pas ça, maman ! Ce n'est pas vrai et c'est gênant. »

Je n'étais pas du tout d'accord. « Tu es pianiste et tu donnes des concerts, Sophia. Ça fait de toi une pianiste de concert. »

Pour finir, bien trop souvent, Lulu et moi entrions dans des disputes assommantes, toujours plus intenses, qui nous faisaient perdre tellement de temps que nous manquions les heures d'ouverture d'un musée ou devions annuler une réservation à dîner.

Ça en valait la peine. Chaque fois que nous rentrions à New Haven, les progrès que Sophia et Lulu avaient faits loin de chez elles stupéfiaient leurs professeurs de musique. Peu après un voyage à Xi'an, en Chine — où je fis répéter Sophia à l'aube pendant deux heures avant de nous autoriser à aller voir les huit mille soldats en terre cuite grandeur nature commandés par le premier empereur de Chine, Qin Shi Huangdi, pour le servir dans l'au-delà —, Sophia remporta son deuxième concours de piano, en jouant cette fois le *Concerto n° 15 en si bémol majeur* de Mozart. Pendant ce temps, Lulu était invitée à jouer comme premier violon dans toutes sortes de trios et quatuors, et nous nous sommes soudain retrouvées à être courtisées par d'autres professeurs de violon toujours à l'affût de jeunes talents.

Mais, moi-même, je dois admettre que ça devenait rude parfois. Je me souviens d'une fois où nous passions des vacances en Grèce avec mes parents. Après avoir vu Athènes (où nous avons réussi à glisser un peu de répétition entre l'Acropole et le temple de Poséidon), nous nous sommes envolés pour la Crète dans un petit avion. Nous sommes arrivés à notre chambre d'hôte vers trois heures de l'après-midi et mon père voulut ressortir tout de suite, car il avait hâte de montrer aux filles le palais de Cnossos où, selon la légende, le roi Minos enferma le Minotaure, un monstre à corps d'homme et tête de taureau, dans le Labyrinthe construit par Dédale.

« D'accord, papa, dis-je. Mais Lulu et moi devons faire dix minutes de violon d'abord. »

Tout le monde échangea des coups d'œil inquiets. « Pourquoi ne pas répéter après le dîner ? suggéra ma mère.

— Non, maman, répondis-je fermement. Lulu me l'a

promis parce qu'elle voulait finir plus tôt hier. Mais si elle coopère, ça ne devrait vraiment pas prendre plus de dix minutes. On ira doucement aujourd'hui. »

Je ne souhaite à personne d'endurer le supplice qui suivit. Jed, Sophia, Lulu et moi étions cloîtrés dans une pièce oppressante : Jed, allongé sur le dessus-de-lit, essayait, l'air sombre, de se concentrer sur un vieux numéro de l'*International Herald Tribune* ; Sophia s'était réfugiée dans la salle de bains avec un livre ; mes parents attendaient dans le hall, craignant de s'en mêler et que les autres hôtes puissent nous entendre, Lulu et moi, en train de nous chamailler, de crier et de nous provoquer mutuellement. (« Tu as encore joué cette note en bémol, Lulu. — En fait, maman, c'était un dièse. Tu n'y connais rien. ») Évidemment, je ne pouvais arrêter au bout de dix minutes alors que Lulu avait refusé de jouer correctement ne serait-ce qu'une seule gamme. Quand ce fut terminé, Lulu était furieuse et barbouillée de larmes, Jed ne desserrait pas les dents, mes parents avaient sommeil — et le palais de Cnossos était fermé pour la journée.

Je ne sais pas quel regard porteront mes filles sur tout ça dans vingt ans. Diront-elles à leurs propres enfants : « Ma mère était une fanatique qui contrôlait tout et qui, même en Inde, nous a fait répéter avant qu'on puisse visiter Bombay ou New Delhi » ? Ou auront-elles des souvenirs plus doux ? Lulu se souviendra peut-être d'avoir merveilleusement joué le premier mouvement du *Concerto pour violon* de Bruch à Âgrâ, devant la fenêtre cintrée d'un hôtel qui donnait directement sur le Tadj Mahall ;

je ne sais pas pourquoi, mais nous ne nous sommes pas disputées ce jour-là — c'était probablement à cause du décalage horaire. Sophia se souviendra-t-elle avec amertume de la fois où je lui passai un savon à Barcelone parce que ses doigts ne frappaient pas les touches d'assez haut ? Si oui, j'espère qu'elle se souviendra aussi de Roquebrune, un village perché sur une colline en France, où le gérant de notre hôtel entendit Sophia répéter et l'invita à jouer pour tout le restaurant ce soir-là. Dans une salle dont la baie vitrée surplombait la Méditerranée, Sophia joua le *Rondo capriccioso* de Mendelssohn, et elle reçut bravos et embrassades de la part de tous les clients.

15

POPO

Florence.

En janvier 2006, ma belle-mère, Florence, téléphona de son appartement à Manhattan. « Je viens tout juste de recevoir un appel du cabinet médical, dit-elle d'une voix bizarre et légèrement exaspérée, et voilà qu'ils me disent que j'ai une *leucémie* aiguë. » Seulement deux mois plus tôt, on avait diagnostiqué à Florence un début de cancer du sein, mais, fidèle à sa personnalité tenace, elle était passée par la chirurgie et la radiothérapie sans jamais se plaindre. Aux dernières nouvelles, tout allait bien et, de retour dans le milieu artistique new-yorkais, elle songeait à écrire un second livre.

Mon ventre se serra. Florence paraissait avoir soixante ans, mais était sur le point d'en avoir soixante-quinze. « Ce n'est pas possible, Florence, ça doit être une erreur, dis-je tout haut d'un air hébété. Attends que j'aille chercher Jed, et il comprendra ce qui se passe. Ne t'inquiète pas. Tout ira bien. »

Tout n'allait pas bien. Une semaine après notre conversation, Florence entrait à l'hôpital presbytérien de New York et commençait la chimiothérapie. Après avoir passé des heures à faire des recherches angoissantes et demandé un troisième puis un quatrième avis, Jed avait aidé Florence à choisir un programme de soins moins agressifs, à base d'arsenic, qui ne lui donneraient pas autant la nausée. Florence écoutait toujours Jed. Ainsi qu'elle aimait le raconter à Sophia et à Lulu, elle l'avait adoré dès qu'il était apparu, un mois avant terme. « Il avait la jaunisse et ressemblait à un petit vieux tout jaune et tout fripé, disait-elle en riant. Mais moi je le trouvais parfait. » Jed et Florence avaient beaucoup de choses en commun. Il avait la sensibilité esthétique de sa mère et reconnaissait lui aussi d'un seul coup d'œil l'équilibre des proportions. Tout le monde disait qu'il était son portrait craché, et ça se voulait toujours un compliment.

Ma belle-mère avait été une jeune femme superbe. Dans son annuaire de promotion à l'université, elle ressemble à Rita Hayworth. Même à cinquante ans, c'est-à-dire l'âge qu'elle avait lorsque je la rencontrai pour la première fois, elle ne passait pas inaperçue dans les soirées. Elle était aussi charmante et pleine d'esprit, mais avait des jugements vraiment tranchés. On savait toujours quelles tenues elle trouvait de mauvais goût, quels plats trop lourds, quels gens trop impatients. Un jour, je descendis dans une nouvelle tenue et le visage de Florence s'illumina. « Tu es superbe, Amy, me dit-elle chaleureusement. Tu t'habilles nettement mieux ces derniers temps. »

Florence était quelqu'un d'insolite. Elle était fascinée par des objets grotesques et disait toujours que les choses « jolies » l'ennuyaient. Elle avait un flair incroyable et gagné de l'argent dans les années 1970 en investissant dans des œuvres d'artistes modernes relativement peu connus. Ces artistes — parmi lesquels Robert Arneson et Sam Gilliam — finirent tous par être découverts, et la valeur des acquisitions de Florence monta en flèche. Florence n'enviait jamais personne, et pouvait être étrangement insensible à la jalousie d'autrui. La solitude ne la dérangeait pas ; elle prisait son indépendance et avait repoussé les propositions de remariage de la part de nombreux hommes riches et brillants. Même si elle appréciait les vêtements chic et les vernissages, ce qu'elle préférait au monde c'était nager dans Crystal Lake (où elle avait passé tous les étés quand elle était enfant), préparer à dîner pour des amis de longue date et, par-dessus tout, être avec ses petites-filles Sophia et Lulu, qui, à sa demande, l'avaient toujours appelée « Popo ».

Florence entra en rémission en mars, après six semaines de chimiothérapie. Elle n'était alors plus que l'ombre d'elle-même — je me souviens combien elle semblait frêle et toute petite contre les oreillers blancs de l'hôpital, comme une photocopie d'elle-même réduite aux trois quarts — mais elle avait encore tous ses cheveux, un bon appétit et le même caractère enjoué. Elle était enchantée de quitter l'hôpital.

Jed et moi savions que la rémission n'allait pas durer. Le médecin nous avait prévenus maintes fois que le pronostic était mauvais. Sa leucémie était agressive et elle allait très certainement faire une rechute d'ici six mois à un an. En raison de son âge, il n'y avait aucun moyen de procéder à une greffe de moelle osseuse — bref, aucune chance de guérison. Mais Florence ne comprenait pas sa maladie et ne savait absolument pas combien c'était sans espoir. Jed essaya à quelques reprises d'expliquer la situation, mais Florence persistait toujours à ne pas comprendre et à être optimiste, et l'idée ne semblait jamais faire son chemin. « Oh ! mon Dieu, il va falloir que je passe beaucoup de temps en salle de gym quand tout ça sera terminé, disait-elle de façon surréaliste. J'ai perdu tout mon tonus musculaire. »

Dans l'immédiat, il fallait que nous prenions une décision. Laisser Florence vivre toute seule était hors de question : elle était trop affaiblie pour pouvoir marcher et avait besoin de fréquentes transfusions sanguines. Et il y avait vraiment très peu de gens dans sa famille à qui elle pouvait s'adresser. Par choix, elle n'avait presque aucun contact avec son ex-mari, Sy, et sa fille vivait vraiment très loin.

Je proposai ce qui semblait s'imposer : Florence viendrait vivre avec nous à New Haven. Les vieux parents de ma mère habitaient avec nous quand j'étais petite, et la mère de mon père vécut avec mon oncle à Chicago jusqu'à ce qu'elle meure à l'âge de quatre-vingt-sept ans. Je suis toujours partie du principe que mes parents viendraient vivre chez moi si nécessaire. C'est comme ça que font les Chinois.

À mon grand étonnement, Jed était réticent. Son profond attachement à Florence ne faisait aucun doute. Mais il me rappela que j'avais souvent eu des problèmes avec Florence et été en colère contre elle ; que nous avions chacune des opinions extrêmement différentes sur l'éducation des enfants ; que nous avions toutes deux une forte personnalité ; et que, même malade, Florence n'allait probablement pas se retenir de donner son avis. Il me demanda d'imaginer la situation si Lulu et moi entrions dans une de ces furieuses disputes où nous nous battions violemment, et que Florence sente le besoin d'intervenir pour prendre la défense de sa petite-fille.

Jed avait raison, évidemment. Florence et moi nous étions très bien entendues pendant des années — elle m'avait fait connaître le monde de l'art moderne, et j'adorais l'accompagner dans les musées et aux expositions — mais nous avons commencé à avoir des désaccords après la naissance de Sophia. En fait, c'est à travers les conflits avec Florence que j'ai d'abord pris conscience de certaines différences profondes entre l'éducation des enfants à la chinoise et à l'occidentale (du moins une de ses variantes). Florence avait surtout bon goût. Elle s'y connaissait en art, en cuisine et en vin. Elle aimait les étoffes luxueuses et le chocolat noir. Chaque fois que nous revenions de voyage, elle demandait toujours aux filles sur quelles couleurs et senteurs elles étaient tombées. Une autre chose pour laquelle Florence avait un goût très arrêté était l'enfance qui, selon elle, devait être pleine de spontanéité et de liberté, de découverte et d'expérience.

À Crystal Lake, Florence estimait que ses petites-filles devaient pouvoir nager, se promener et partir en exploration où bon leur semblait. Moi, par contre, je leur disais que, si elles s'aventuraient au-delà du porche d'entrée, elles se feraient kidnapper. Je leur disais aussi que les parties profondes du lac regorgeaient de féroces poissons qui pouvaient mordre. J'allais peut-être trop loin, mais parfois insouciance rime avec imprudence. Un jour que Florence avait fait pour nous du baby-sitting au bord du lac, pendant notre absence, en rentrant à la maison, je trouvai ma Sophia de deux ans en train de courir dehors dans tous les sens, toute seule, avec dans les mains une paire de cisailles de jardinier aussi grandes qu'elle. Je les lui arrachai furieusement. « Elle allait couper des fleurs sauvages », dit Florence rêveusement.

Il est vrai que je ne suis pas douée pour jouir de la vie. Ce n'est pas l'un de mes points forts. Je conserve beaucoup de listes de choses à faire, et j'ai horreur des massages et des vacances aux Caraïbes. Florence considérait l'enfance comme quelque chose d'éphémère dont il faut profiter, tandis que je voyais l'enfance comme une période de formation, où l'on se forge le caractère et où l'on prépare l'avenir. Florence voulait toujours passer toute une journée avec chacune des filles — elle m'en suppliait. Mais je ne pouvais me résoudre à ce qu'elles perdent un jour entier. Les filles avaient, pour ainsi dire, à peine le temps de faire leurs devoirs, de parler chinois avec leur professeur particulier et de travailler leurs instruments.

Florence aimait l'esprit de rébellion et les dilemmes moraux, ainsi que la complexité psychologique. Ça me plaisait aussi, mais pas quand c'était appliqué à mes enfants. « Sophia est *tellement envieuse* de sa petite sœur, dit Florence un jour en rigolant, peu après que Lulu fut née. Elle veut juste renvoyer Lulu là d'où elle vient.

— Non, pas du tout, dis-je sèchement. Sophia adore sa petite sœur. » Je sentais qu'en cherchant la rivalité fraternelle Florence était en train de la susciter. Il y a tout un tas de désordres psychologiques en Occident qui n'existent pas en Asie.

Étant chinoise, je n'avais presque jamais d'affrontements ouverts avec Florence. Quand j'évoquais plus haut mes « conflits avec Florence », je parlais du fait de la critiquer auprès de Jed et de me répandre en injures contre elle derrière son dos. En sa présence, j'étais toujours conciliante et hypocritement accommodante vis-à-vis de ses nombreuses suggestions. Alors Jed n'avait pas tort, d'autant plus que c'était lui qui avait porté le poids du conflit.

Mais tout cela n'importait pas le moins du monde, car Florence était la mère de Jed. Pour les Chinois, quand il s'agit des parents, il n'y a rien à négocier. Les parents sont les parents, on leur doit tout (même si ce n'est pas le cas) et on doit tout faire pour eux (même si ça détruit votre vie).

Début avril, Jed alla chercher Florence à l'hôpital et l'amena chez nous, à New Haven, où il la porta au deuxième étage de la maison. Florence était incroyablement surexcitée et heureuse, comme si nous étions tous ensemble en villégiature. Elle logea dans notre chambre d'amis, juste à côté de la chambre des filles et juste en face de la nôtre. Nous engageâmes une garde-malade pour lui faire à manger et prendre soin d'elle, et des kinésithérapeutes n'arrêtaient pas d'aller et venir. Presque tous les soirs, Jed, les filles et moi dînions avec Florence ; pendant les deux premières semaines, ça avait toujours lieu dans sa chambre, car elle ne pouvait pas descendre les escaliers. Un jour, j'invitai quelques-uns de ses amis et organisai une dégustation de vins et fromages dans sa chambre. Quand Florence vit les fromages que j'avais choisis, elle fut horrifiée et m'expédia en chercher d'autres. Au lieu d'être en colère, j'étais contente qu'elle soit toujours égale à elle-même et que le bon goût soit dans les gènes de mes filles. Je notai aussi quels fromages je ne devais plus jamais acheter.

Bien que son état de santé nous tînt constamment en alerte — Jed devait l'emmener d'urgence à l'hôpital de New Haven au moins deux fois par semaine —, Florence semblait se rétablir miraculeusement chez nous. Elle avait un énorme appétit et reprit du poids rapidement. Le jour de son anniversaire, le 3 mai, nous étions en mesure d'aller tous ensemble dans un bon restaurant. Nos amis Henry et Marina vinrent avec nous et n'arrivaient pas à croire que c'était la même Florence que celle qu'ils avaient vue à l'hôpital six semaines plus tôt. Dans une veste asymétrique à col montant signée Issey Miyake, elle avait retrouvé son glamour et ne paraissait même pas malade.

Seulement quelques jours plus tard, le 7 mai, Sophia

fêtait sa bat-mitsva à la maison. Plus tôt, ce jour-là, une autre crise s'était déclarée et Jed avait dû emmener Florence à l'hôpital à toute vitesse pour une transfusion sanguine d'urgence. Mais ils revinrent à temps, et Florence avait une allure fabuleuse lorsque les quatre-vingts invités arrivèrent. Après la cérémonie, sous un ciel bleu sans nuages et sur des tables ornées de tulipes blanches, furent servis du pain perdu, des fraises et des *dim sum* — Sophia et Popo avaient organisé le menu —, et Jed et moi nous étonnions de tout ce qu'il faut dépenser pour que les choses restent simples et sans prétention.

Une semaine plus tard, Florence décida qu'elle se sentait assez bien pour retourner dans son appartement new-yorkais, du moins si la garde-malade l'accompagnait. Elle décéda chez elle le 21 mai, apparemment d'un accident vasculaire cérébral qui la tua sur le coup. Elle projetait de sortir prendre un verre ce soir-là et ignorait complètement que son temps était compté.

Aux funérailles, Sophia et Lulu lurent chacune un petit discours qu'elles avaient écrit elles-mêmes. Voici un passage de ce que dit Lulu :

> Le mois dernier, quand Popo vivait chez nous, je passais beaucoup de temps avec elle, que ce soit pour déjeuner, pour jouer aux cartes ou simplement pour discuter. Pendant deux soirs, on nous laissa seules ensemble à nous « baby-sitter » l'une l'autre. Même si elle était malade et n'arrivait pas à bien marcher, je n'avais pas du tout peur avec elle. Elle avait une grande force. Quand je pense à Popo, je la vois heureuse, en train de rire.

Elle adorait être heureuse et ça me rendait heureuse aussi. Popo va vraiment beaucoup me manquer.

Et voici un passage de ce que dit Sophia :

> Popo voulait toujours de la stimulation intellectuelle, du bonheur complet — pour tirer de chaque minute le plus de vitalité et de réflexion possible. Et je pense qu'elle y a réussi, jusqu'au tout dernier moment. J'espère que je pourrai un jour apprendre à faire de même.

Quand j'entendis Sophia et Lulu prononcer ces mots, plusieurs choses me vinrent à l'esprit. J'étais fière et heureuse que Jed et moi ayons pris Florence chez nous, à la chinoise, et que les filles en aient été témoins. Fière et heureuse aussi que Sophia et Lulu aient aidé à prendre soin de Florence. Mais tandis que les mots « adorait être heureuse » et « bonheur complet » résonnaient dans ma tête, je me demandais, si je tombais malade un jour ou l'autre, si les filles m'accueilleraient chez elles et feraient la même chose pour moi — ou si elles opteraient pour le bonheur et la liberté.

Le bonheur n'est pas un concept sur lequel j'ai tendance à m'attarder, et le modèle chinois d'éducation des enfants ne s'en préoccupe pas non plus. Ça m'a toujours inquiétée. Lorsque je vois le piano — et le violon — provoquer des durillons sur le bout des doigts de mes filles, ou que je vois les marques de dents sur le piano, le doute m'étreint parfois.

Oui mais voilà, quand j'observe autour de moi toutes les familles occidentales se désagréger — tous les fils et les filles qui, devenus adultes, ne supportent pas de voir leurs parents ou ne leur parlent même pas — j'ai beaucoup de mal à croire que l'éducation à l'occidentale s'en sort mieux côté bonheur.

J'ai rencontré un nombre incroyable de vieux parents occidentaux qui m'ont dit en secouant la tête avec tristesse : « En tant que parents, on ne peut pas gagner. Quoi qu'on fasse, les enfants grandiront en gardant une dent contre nous. » Par contraste, j'ai rencontré je ne sais combien d'enfants asiatiques qui, tout en admettant que leurs parents avaient été d'une sévérité oppressive et d'une exigence brutale, se décrivent volontiers comme leur étant dévoués et incroyablement reconnaissants, apparemment sans la moindre trace d'amertume ou de rancœur.

Je ne suis vraiment pas sûre de savoir pourquoi il en est ainsi. C'est peut-être le lavage de cerveau. Ou alors le syndrome de Stockholm. Mais voilà une chose dont je suis tout à fait certaine : les enfants occidentaux ne sont certainement pas plus heureux que les enfants chinois.

16

LA CARTE D'ANNIVERSAIRE

Tout le monde fut ému par les discours de Sophia et Lulu aux funérailles de Florence. « Si seulement Florence avait pu les entendre, dit ensuite avec tristesse Sylvia, la meilleure amie de Florence. Rien ne l'aurait rendue plus heureuse. » Comment, demandèrent d'autres amis, une adolescente de treize ans et une enfant de dix ans pouvaient-elles décrire Florence aussi parfaitement ?

Mais il y a un précédent.

Ça remonte en fait à plusieurs années, quand les filles étaient encore petites — elles avaient peut-être sept et quatre ans. C'était le jour de mon anniversaire, que nous étions en train de fêter dans un restaurant italien médiocre parce que Jed avait oublié de réserver dans un meilleur endroit.

Ayant manifestement mauvaise conscience, Jed essayait d'être joyeux. « O.K. ! Ça va être un dîner d'anniversaire ab-so-lu-ment génial pour maman ! Hein, les filles ? Et vous avez chacune une petite surprise pour maman — pas vrai, les filles ? »

J'étais en train de tremper un bout de focaccia rassise dans le petit récipient d'huile d'olive que le serveur nous avait donné. Encouragée par Jed, Lulu me donna sa « surprise » qui s'avéra être une carte. Plus exactement, c'était un morceau de papier mal plié en deux, avec un gros visage souriant sur le devant. À l'intérieur, « Joyeux anniversaire, maman ! Bisous, Lulu », gribouillé aux crayons de couleur au-dessus d'un autre visage souriant. Faire cette carte n'avait pas pu prendre à Lulu plus de vingt secondes.

Je sais parfaitement comment Jed aurait réagi. Il se serait exclamé : « Oh, comme c'est gentil ! Merci, ma chérie », et aurait planté un gros baiser sur le front de Lulu. Puis il aurait probablement dit qu'il n'avait pas très faim, qu'il n'allait prendre qu'un bol de soupe ou, réflexion faite, seulement du pain et de l'eau, mais que nous autres pouvions commander tout ce qui nous chantait.

Je rendis la carte à Lulu. « Je ne veux pas de ça, dis-je. J'en veux une meilleure — une à laquelle tu as réfléchi et pour laquelle tu t'es donné du mal. J'ai une boîte spéciale où je garde toutes les cartes que Sophia et toi m'avez offertes, et celle-là ne peut pas y avoir sa place.

— Hein ? » dit Lulu avec incrédulité. Je vis la sueur commencer à perler sur le front de Jed.

Je saisis de nouveau la carte que je retournai et, tirant un stylo de mon sac, j'y gribouillai « Joyeux anniversaire, Lulu ! Youpi ! » et y ajoutai un gros visage revêche. « Et si je te donnais ça pour ton anniversaire, Lulu, ça te plairait ? Mais je ne ferais jamais une chose pareille, Lulu. Non, moi je t'offre des magiciens et des toboggans géants qui me coûtent une fortune. Je t'offre d'énormes gâteaux de crème glacée en forme de pingouins, et je dépense la moitié de mon salaire dans de stupides gommes et autocollants à offrir à tes invités qui s'en débarrassent tous. Je travaille tellement dur pour que tu aies de beaux anniversaires ! Je mérite mieux que ça. Donc je *refuse* cette chose-là. » Je lançai la carte vers elle.

« Puis-je être excusée un instant ? demanda Sophia avec une petite voix. Il faut que je fasse quelque chose.

— Laisse-moi voir ça, Sophia. Passe-la-moi. »

Les yeux agrandis par la terreur, Sophia sortit lentement sa propre carte. Elle était plus grande que celle de Lulu et faite en papier de construction, mais, quoique plus expansive, elle était tout aussi creuse. « Je t'aime ! Joyeux anniversaire à la meilleure maman du monde ! Tu es ma maman préférée ! »

« C'est gentil, Sophia, dis-je froidement, mais pas assez bon non plus. Quand j'avais ton âge, j'écrivais des poèmes à ma mère pour son anniversaire. Je me levais tôt, nettoyais la maison et lui préparais le petit déjeuner. J'essayais de réfléchir à des idées originales et lui faisais des bons qui disaient, par exemple : “Bon pour un lavage de voiture gratuit”.

— Je voulais faire quelque chose de mieux, mais tu m'as dit que je devais jouer du piano, protesta Sophia avec indignation.

— Tu aurais dû te lever plus tôt », répliquai-je.

Plus tard dans la soirée, je reçus deux bien meilleures

cartes d'anniversaire qui me plurent beaucoup et que j'ai conservées.

Je racontai cette histoire à Florence peu de temps après. Elle rit d'étonnement mais, à ma grande surprise, ne désapprouva pas. « J'aurais peut-être dû essayer quelque chose de similaire avec mes enfants, dit-elle pensivement. Mais il me semblait toujours que s'il fallait *demander* quelque chose, alors ça n'aurait rien valu.

— Je pense qu'il est trop idéaliste d'attendre des enfants qu'ils fassent les choses correctement par eux-mêmes, dis-je. De plus, si on les force à faire ce qu'on veut, on n'a pas besoin d'être en colère contre eux.

— Mais ils seront en colère contre toi », remarqua Florence.

Je repensai à cette discussion des années plus tard, le jour des funérailles. Selon la loi juive, les enterrements doivent avoir lieu aussi vite que possible après la mort, idéalement dans les vingt-quatre heures qui suivent. On ne s'attendait pas que Florence décède si subitement, et en un jour Jed dut faire le nécessaire pour trouver une tombe, un rabbin, une chambre mortuaire, et organiser le service funèbre. Comme toujours, il s'occupa de tout avec rapidité et efficacité, gardant ses émotions pour lui, mais je voyais bien qu'il tremblait de tout son corps, accablé d'un trop lourd chagrin.

Je trouvai les filles dans leur chambre ce matin-là, blotties l'une contre l'autre, toutes deux l'air abasourdi et effrayé. C'était la première fois qu'une personne aussi proche d'elles décédait. Elles n'étaient jamais allées à un enterrement. Et elles avaient entendu rire Florence dans la chambre d'à côté une semaine plus tôt.

Je dis aux filles qu'elles devaient écrire chacune un petit discours sur Popo qu'elles liraient au service cet après-midi-là.

« Non, je t'en prie, maman, ne m'y oblige pas, dit Sophia les larmes aux yeux. Je n'en ai vraiment pas envie.

— Je ne peux pas, sanglota Lulu. Va-t'en.

— Vous *devez* le faire, ordonnai-je. Toutes les deux. Popo l'aurait voulu. »

Le premier jet de Sophia était affreux, décousu et superficiel. Celui de Lulu n'était pas beaucoup mieux, mais je plaçais la barre plus haut pour ma fille aînée. Peut-être parce que j'étais moi-même bouleversée, je la fustigeai : « Comment as-tu *osé*, Sophia ? dis-je méchamment. C'est affreux. Ça ne démontre aucune perspicacité. Aucune profondeur. On dirait une carte de vœux toute faite — ce que Popo détestait. Tu es tellement égoïste. Popo t'aimait tant… et toi, tu produis… *ça* ! »

Pleurant de manière incontrôlable, Sophia me répondit en criant, ce qui me surprit, car comme Jed — contrairement à Lulu et à moi — la colère de Sophia est généralement frémissante et déborde rarement. « Tu n'as pas le droit de dire ce que Popo aurait voulu ! Tu ne l'aimais même pas. Tu fais une fixation sur les valeurs chinoises et sur le respect des aînés, mais tu ne faisais que te moquer d'elle. La moindre chose qu'elle faisait — *même du couscous* — reflétait une terrible faiblesse morale à tes yeux.

Pourquoi es-tu si… manichéenne ? Pourquoi faut-il que tout soit noir ou blanc ? »

Je ne me moquais pas d'elle, me dis-je avec indignation. Je protégeais seulement mes filles d'un modèle d'éducation idéalisé et voué à l'échec. Par ailleurs, c'était moi qui invitais tout le temps Florence, qui m'assurais toujours qu'elle voyait ses petites-filles. Je donnais à Florence sa plus grande source de bonheur — de belles petites-filles respectueuses et accomplies dont elle pouvait être fière. Comment Sophia, qui était si intelligente et connaissait même le mot « manichéen », pouvait-elle ne pas s'en apercevoir et m'attaquer au lieu de cela ?

En apparence, j'ignorai l'accès de colère de Sophia, et proposai plutôt des suggestions de rédaction — des choses qu'elle pourrait mentionner à propos de sa grand-mère. Je lui demandai de parler de Crystal Lake et de ses visites aux musées avec Florence.

Sophia ne suivit aucune de mes suggestions. Claquant la porte derrière moi, elle s'enferma à clé dans sa chambre et réécrivit toute seule son discours. Elle refusa de me le montrer et ne me regardait même pas, même après s'être calmée et changée pour mettre une robe noire et des collants noirs. Et plus tard, au service funèbre, lorsque Sophia parla sur le podium, l'air digne et calme, je ne perdis pas les phrases lourdes de sous-entendus :

> Popo n'acceptait jamais rien — une conversation malhonnête, un film peu fidèle au livre, l'affichage d'une émotion légèrement hypocrite. Popo n'autorisait personne à parler pour moi.

C'était un merveilleux discours. Celui de Lulu aussi ; elle avait parlé avec beaucoup de finesse et d'aplomb pour une enfant de dix ans. Je pouvais parfaitement imaginer une Florence radieuse disant : « Je suis comblée. »

D'un autre côté, Florence avait raison. Les enfants étaient clairement en colère contre moi. Mais en tant que mère chinoise, je m'ôtai ça de l'esprit.

17

EN ROUTE POUR CHAUTAUQUA

L'été qui suivit la disparition de Florence fut difficile. Pour commencer, je roulai sur le pied de Sophia. Elle sauta de ma voiture pour saisir une raquette de tennis tandis que je continuais à reculer, et sa cheville gauche fut prise par la roue avant. Nous avons perdu connaissance toutes les deux. Cela aboutit à de la chirurgie sous anesthésie générale et à deux grosses vis insérées dans sa cheville. Puis elle dut porter une énorme botte et utiliser des béquilles pendant le reste de l'été, ce qui la mit de mauvaise humeur mais, au moins, lui donna beaucoup de temps pour répéter le piano.

Il y avait tout de même une bonne chose dans notre vie : Coco. Elle devenait chaque jour plus mignonne et avait sur nous quatre le même effet étrange : le seul fait de la regarder nous remontait le moral. C'était vrai, même si toutes les ambitions que j'avais pour elle avaient été remplacées par une seule dynamique : elle me regardait en m'implorant de ses yeux en amande couleur chocolat, et je faisais tout ce qu'elle voulait — ce qui d'habitude consistait à aller courir six kilomètres, quel que soit le temps. En retour, Coco faisait preuve de compassion. Je savais qu'elle détestait quand je criais après les filles, mais elle ne me jugeait jamais et comprenait que j'essayais d'être une bonne mère.

Je n'étais pas contrariée d'avoir dû revoir mes rêves pour Coco — je voulais juste qu'elle soit heureuse. J'avais finalement compris que Coco était un animal qui avait intrinsèquement beaucoup moins de potentiel que Sophia et Lulu. Même s'il est vrai que certains chiens font partie de brigades antiterroristes ou d'équipes de renifleurs de drogue, il n'y a absolument pas d'inconvénient à ce que la plupart n'aient pas de profession, ni même de talents particuliers.

À peu près à cette époque, j'eus une conversation qui bouleversa ma vie avec mon brillant ami et collègue Peter, qui parle six langues et en lit onze, y compris le sanskrit et le grec ancien. Pianiste très doué, ayant débuté à New York lorsqu'il était adolescent, Peter assista à l'un des récitals de Sophia à la Neighborhood Music School.

Plus tard, il me dit qu'il pensait que Sophia jouait du piano de façon extraordinaire, puis il ajouta : « Je ne veux pas me mêler de ce qui ne me regarde pas ou quoi que ce soit de ce genre, mais as-tu songé à l'école de musique de Yale ? Peut-être que Sophia devrait auditionner pour l'un de ses enseignants de piano.

— Tu veux dire… changer de professeurs ? » demandai-je en réfléchissant à toute vitesse. La Neighborhood

Music School était l'un de mes endroits préférés depuis presque dix ans.

« Eh bien, oui, dit Peter. Je suis sûre que la Neighborhood Music School est un endroit merveilleux. Mais comparée aux autres enfants d'ici, Sophia est d'un autre niveau. Évidemment, tout dépend de tes objectifs. Tu veux peut-être simplement que les choses restent amusantes. »

J'étais interloquée. Personne ne m'avait jamais accusée de faire en sorte que les choses restent amusantes. Et, coïncidence, je venais de recevoir un appel téléphonique d'un autre ami qui avait soulevé exactement la même question à propos de Lulu.

Ce soir-là, j'envoyai deux courriers électroniques cruciaux : le premier était adressé à une violoniste fraîchement diplômée de l'école de musique de Yale, qui s'appelait Kiwon Nahm et que j'avais embauchée à l'occasion pour aider Lulu à répéter ; le second, à M. Wei-Yi Yang, qui était le dernier à avoir rejoint les illustres professeurs de piano de Yale et qui était manifestement un pianiste prodigieux et sensationnel.

Les choses allèrent plus vite que je ne le pensais. Par un énorme coup de chance, M. Yang connaissait Sophia, qu'il avait entendue jouer un quatuor pour piano de Mozart lors d'un concert destiné à collecter des fonds, et qui lui avait fait une bonne impression. Nous nous mîmes d'accord pour déjeuner ensemble fin août, à son retour de ses concerts d'été.

Quelque chose de tout aussi excitant se produisit avec Lulu. Kiwon — qui avait débuté comme soliste à l'âge de douze ans au Lincoln Center à New York — parla avec générosité de Lulu à l'un de ses précédents professeurs qui s'appelait Almita Vamos. Mme Vamos et son mari, Roland, font partie des plus éminents professeurs de violon au monde. Ils ont été honorés par la Maison-Blanche à six reprises, et comptent parmi leurs anciens élèves de célèbres solistes comme Rachel Barton et de nombreux lauréats de prestigieux concours internationaux. Basés à Chicago, ils n'enseignent qu'aux élèves très doués, qui sont dans une large proportion d'origine asiatique.

Nous étions sur des charbons ardents dans l'attente de voir si Mme Vamos répondrait. Une semaine plus tard, le courrier électronique arriva. Mme Vamos invitait Lulu à venir jouer pour elle à la Chautauqua Institution dans le nord de l'État de New York, où elle était professeur invité cet été-là. La date choisie par Mme Vamos était le 29 juillet — seulement trois semaines plus tard.

Pendant les vingt jours qui suivirent, Lulu ne fit rien d'autre que répéter le violon. Afin de lui arracher autant de progrès que possible, je payai Kiwon pour qu'elle vienne travailler avec Lulu deux fois, parfois trois fois par jour. Lorsque Jed vit le montant des chèques, il n'en crut pas ses yeux. Je lui dis qu'on compenserait ces dépenses en n'allant pas dîner au restaurant de tout l'été et en n'achetant pas de nouveaux vêtements. « De plus, dis-je avec optimisme, il y a l'avance que tu viens de recevoir pour ton roman.

— Il vaut mieux que je commence à travailler dès maintenant sur une suite, répondit Jed d'un air sombre.

— On ne peut pas mieux utiliser notre argent qu'en le dépensant pour nos enfants », dis-je.

Mais une autre surprise déplaisante l'attendait. J'avais imaginé que le trajet pour aller voir Mme Vamos prendrait trois, peut-être quatre heures, et c'est ce que j'avais dit à Jed. La veille du jour où nous avions prévu de partir, Jed se rendit sur le site d'itinéraires routiers MapQuest et dit : « Bon, c'est où déjà ? »

Malheureusement, je n'avais pas réalisé que l'État de New York était si grand. Il s'avéra que Chautauqua était situé près du lac Érié, non loin du Canada.

« Amy, c'est à neuf heures de route, pas trois, dit Jed avec exaspération. Et on y reste combien de temps ?

— Juste une nuit. J'ai inscrit Sophia à un cours d'animation sur ordinateur qui commence lundi — c'est une activité passionnante quand on est sur des béquilles… Mais je suis sûre qu'on peut y aller en sept heures…

— Et qu'est-ce qu'on est censés faire de Coco ? » m'interrompit Jed. Coco était propre depuis seulement deux mois et n'avait jamais voyagé.

« Je pensais qu'il serait amusant de l'emmener avec nous. Ce seront nos premières vacances ensemble, dis-je.

— Ce ne sont pas exactement des vacances que de conduire pendant dix-huit heures en deux jours, remarqua Jed (un peu égoïstement, pensai-je). Et le pied cassé de Sophia, alors ? Ne doit-elle pas garder sa jambe surélevée ? Comment va-t-on caser tout le monde dans la voiture ? »

Nous avions une vieille Jeep Cherokee. Je suggérai que Sophia s'allonge sur la banquette arrière, pose sa tête sur les genoux de Lulu et cale sa jambe sur des coussins. Coco pouvait faire tout le voyage à l'arrière avec les valises et les violons (oui, « violons » au pluriel — j'expliquerai ça plus loin). « Il y a encore une chose, ajoutai-je. J'ai demandé à Kiwon si elle voulait bien venir avec nous, et je lui ai dit que je la paierais à l'heure, y compris le temps de transport.

— *Quoi ?* (Jed était incrédule.) Ça va nous coûter trois mille dollars. Et où va-t-on la mettre ? À l'arrière de la voiture, avec Coco ?

— Elle peut prendre sa propre voiture… je lui ai dit que je paierais l'essence. Mais, en fait, elle ne voulait pas vraiment faire le voyage. C'est loin, et elle serait obligée d'annuler ses autres heures de cours. Pour que ça la tente plus, j'ai invité son nouveau petit ami, Aaron, à venir aussi, et j'ai proposé de leur payer trois nuits dans un bel hôtel. J'ai trouvé un endroit incroyable nommé le William Seward Inn, et je leur ai réservé à chacun une chambre double de luxe.

— Trois nuits, dit Jed. Tu plaisantes.

— Si tu veux, toi et moi on peut loger dans un hôtel moins cher, pour économiser.

— Je ne veux pas.

— Aaron est un type super, dis-je à Jed sur un ton persuasif. Tu vas l'adorer. Il joue du cor d'harmonie, et il adore les chiens. Il a proposé de s'occuper de Coco gratuitement pendant que nous serons avec Mme Vamos. »

Nous sommes partis au point du jour, Kiwon et Aaron suivant dans une Honda blanche notre Jeep blanche. Ce ne fut pas un voyage agréable. Jed insista pour conduire pendant tout le trajet — un truc de macho qui me tape sur les nerfs. Sophia affirmait qu'elle avait mal et que son sang n'arrivait pas à circuler. « Rappelle-moi pourquoi je suis du voyage déjà ? demanda-t-elle innocemment.

— Parce que la famille doit toujours rester groupée, répondis-je. De plus, c'est un événement important pour Lulu, et tu dois soutenir ta sœur. »

Pendant les neuf heures entières, j'étais tendue, assise en tailleur sur le siège avant, avec la nourriture, le matériel et le tapis duveteux de Coco où mes pieds auraient dû se trouver. Ma tête était coincée entre les deux béquilles horizontales de Sophia qui faisaient ventouse sur le pare-brise.

Pendant ce temps, Lulu se comportait comme si elle n'avait pas le moindre souci. C'est à ça que je savais qu'elle était terrifiée.

18

LA PISCINE NATURELLE

« Quoi ? demanda Jed. Dis-moi que tu n'as pas dit ce que j'ai cru t'entendre dire. » Ça, c'était un mois avant notre voyage à Chautauqua.

« J'ai dit que je songe à débloquer mes fonds de retraite. Pas tous mes fonds ; juste ceux de Cleary. » Cleary, Gottlieb, Steen & Hamilton est le nom du cabinet d'avocats de Wall Street où je travaillais avant la naissance de Sophia.

« Ça n'a absolument aucun sens de quelque point de vue que ce soit, dit Jed. D'abord, tu devras payer là-dessus un énorme impôt et tu perdras la moitié de la somme. Plus important encore, il faut qu'on économise cet argent pour notre retraite. C'est à ça que servent les caisses de retraite. Ça fait partie du progrès et de la civilisation.

— Il y a quelque chose qu'il faut que j'achète, dis-je.

— De quoi s'agit-il, Amy ? demanda Jed. S'il y a quelque chose que tu veux vraiment, je trouverai un moyen de nous le procurer. »

J'ai eu tellement de chance en amour. Jed est beau,

drôle, intelligent, *et* il supporte mon mauvais goût et ma tendance à me faire arnaquer. En réalité, je n'achète pas tant de choses que ça. Je n'aime pas le shopping, je ne vais pas me faire faire des soins du visage ou des manucures, et je n'achète pas de bijoux. Mais de temps à autre, je vais être saisie d'une envie incontrôlable de posséder quelque chose — un cheval en argile chinois de sept cents kilos, par exemple, qui se désintégra l'hiver suivant — et Jed a toujours fait en sorte de me donner ce que je voulais. Dans ce cas précis, j'étais prise d'une envie extrêmement forte d'acheter un très bon violon pour Lulu.

Je contactai des marchands de violons de bonne réputation qui m'avaient été recommandés — deux à New York, un à Boston, un autre à Philadelphie. Je demandai à chaque marchand de m'envoyer trois violons que Lulu puisse essayer, dans une certaine fourchette de prix. Ils m'envoyèrent toujours quatre violons, trois dans la fourchette spécifiée et un autre qui « est un peu au-delà de votre budget (ce qui voulait dire deux fois plus cher) mais que j'ai quand même décidé de vous envoyer aussi, car c'est un instrument extraordinaire et qui correspondra peut-être exactement à ce que vous recherchez ». À cet égard, les vendeurs de violons sont semblables aux marchands de tapis en Ouzbékistan. Chaque fois que nous atteignions un nouveau palier de prix, j'essayais de convaincre Jed qu'un bon violon était un investissement, comme les œuvres d'art ou l'immobilier. « Donc, en fait, nous gagnons de l'argent en en dépensant plus ? » demandait-il d'un ton pince-sans-rire.

Pendant ce temps, Lulu et moi, on se régalait. Chaque fois qu'une nouvelle grosse boîte arrivait par UPS, nous mourions d'impatience de déchirer l'emballage pour l'ouvrir. C'était amusant de jouer sur ces différents violons, de comparer les bois et les sonorités, de lire les informations sur leurs diverses provenances, d'essayer de repérer leurs différentes personnalités. Nous essayions quelques violons de fabrication récente, mais surtout les plus anciens, des années 1930 ou plus tôt. Nous testions des violons d'Angleterre, de France et d'Allemagne, mais surtout d'Italie, généralement de Crémone, Gênes ou Naples. Lulu et moi rassemblions toute la famille pour les essayer les yeux bandés et vérifier que nous pouvions reconnaître chaque violon ou que nos préférences demeuraient les mêmes quand on ne pouvait les voir.

Ce qu'il y a avec Lulu et moi, c'est que nous sommes à la fois incompatibles et vraiment très proches. Nous pouvons follement nous amuser, mais aussi nous faire mutuellement beaucoup de mal. Nous savons toujours ce que l'autre est en train de penser, quelle forme de torture psychologique est en train d'être déployée — et c'est plus fort que nous. Nous avons toutes les deux tendance à exploser, puis à nous sentir bien. Jed n'a jamais compris comment, un instant plus tôt, Lulu et moi pouvons hurler et nous lancer des menaces de mort et, l'instant d'après, être au lit, les bras de Lulu autour de moi, à parler violon ou lecture et à rire ensemble.

Bref, à notre arrivée au studio de Mme Vamos à la Chautauqua Institution, nous avions non pas un mais trois violons. Nous n'avions pas été capables de nous décider de manière définitive.

« Merveilleux ! s'exclama Mme Vamos. Comme c'est amusant. J'adore essayer les violons. » Mme Vamos avait les pieds sur terre, l'esprit très vif et un sens de l'humour décalé. Elle avait des opinions très arrêtées (« Je déteste le *Vingt-troisième Concerto* de Viotti. C'est ennuyeux au possible ! »), respirait la puissance et suscitait l'admiration. Elle était également incroyable avec les enfants — ou du moins avec Lulu, qui sembla lui plaire immédiatement. Mme Vamos et Jed s'entendirent bien aussi, et je crois que la seule personne qu'elle n'appréciait pas beaucoup, c'était moi. J'avais le sentiment qu'elle avait rencontré des centaines, voire des milliers de mères asiatiques, et qu'elle me trouvait inesthétique.

Lulu joua le premier mouvement du *Concerto n° 3* de Mozart pour Mme Vamos, qui lui dit ensuite qu'elle était extrêmement douée pour la musique et lui demanda si elle aimait jouer du violon. Je retins mon souffle, franchement incertaine de ce que serait la réponse. Lulu répondit que oui. Mme Vamos dit ensuite à Lulu que, si elle avait l'avantage d'être naturellement musicienne — quelque chose qui ne s'apprend pas —, elle avait du retard pour ce qui était de la technique. Elle demanda à Lulu si elle faisait des gammes (« Plus ou moins ») et des études (« Qu'est-ce que c'est ? »).

Mme Vamos dit à Lulu que tout cela devait changer si elle voulait vraiment devenir une bonne violoniste. Il fallait qu'elle fasse des tas de gammes et d'études pour développer une technique impeccable, la mémoire musculaire et l'intonation parfaite. Mme Vamos dit aussi à Lulu qu'elle avançait beaucoup trop lentement, que ça n'allait pas de passer six mois sur un seul mouvement de concerto. « Mes élèves de ton âge peuvent apprendre *tout un concerto* en deux semaines — tu devrais en être capable. »

Mme Vamos travailla ensuite avec Lulu la pièce de Mozart, ligne par ligne, transformant sa façon de jouer sous mes yeux. C'était un professeur exceptionnel : exigeante mais drôle, critique mais stimulante. Au bout d'une heure — entre-temps cinq ou six élèves étaient entrés et s'étaient assis par terre avec leur instrument —, Mme Vamos donna à Lulu quelques morceaux à travailler toute seule et nous dit qu'elle serait heureuse de la revoir le lendemain.

Je n'arrivais pas à y croire. Mme Vamos voulait revoir Lulu. J'en sautais presque de ma chaise — et je l'aurais probablement fait si, au même moment, je n'avais vu Coco passer à toute allure devant la fenêtre, suivie par Aaron, attaché à la laisse derrière elle.

« C'était quoi, ça ? demanda Mme Vamos.

— C'est notre chien, Coco, expliqua Lulu.

— J'adore les chiens. Et le vôtre semble très mignon, dit l'un des plus célèbres professeurs de violon au monde, qui ajouta : Nous pourrons également voir demain comment sonnent ces violons. J'aime celui d'origine italienne, mais peut-être que le français s'ouvrira. »

De retour à l'hôtel, je frémissais d'excitation tant j'avais hâte de commencer l'entraînement. Quelle chance ! Je savais que Mme Vamos était entourée d'Asiatiques qui travaillent avec acharnement, mais j'étais d'autant plus résolue à la surprendre, à lui montrer de quoi nous étions capables.

Je sortis la partition de Mozart, juste à temps pour voir Lulu s'enfoncer dans un fauteuil confortable. « Aaaah, soupira-t-elle avec contentement, en penchant la tête en arrière. C'était une bonne journée. Allons dîner.

— *Dîner ?* » Je n'en croyais pas mes oreilles. « Lulu, Mme Vamos t'a donné un *devoir*. Elle veut vérifier à quelle *vitesse* tu peux faire des progrès. C'est extrêmement important, ce n'est pas un jeu. Allez, on s'y met.

— Qu'est-ce que tu racontes, maman ? Je viens de jouer du violon pendant *cinq heures*. » C'était vrai : elle avait répété toute la matinée avec Kiwon avant d'aller voir Mme Vamos. « J'ai besoin de faire une pause. Je ne peux pas me remettre à jouer maintenant. En plus, il est déjà cinq heures et demie. C'est l'heure de dîner.

— Cinq heures et demie n'est pas l'heure de dîner. On va répéter d'abord, et ensuite on récompensera nos efforts en allant manger. J'ai déjà réservé une table dans un restaurant italien, la cuisine que tu préfères.

— O-o-h, no-o-on, dit Lulu en gémissant. Tu parles sérieusement ? À quelle heure ?

— Quoi à quelle heure ?

— À quelle heure tu as réservé au restaurant ?

— Oh ! À neuf heures, répondis-je, avant de le regretter.

— *Neuf heures ? NEUF HEURES ?* C'est de la folie, maman ! Je refuse. Je refuse !

— Lulu, je changerai la réservation pour…

— JE REFUSE ! Je ne peux pas répéter maintenant. Je ne le ferai pas ! »

Je ne rentrerai pas dans les détails sur ce qui s'ensuivit. Deux faits devraient suffire. Primo, nous ne sommes pas allés dîner avant neuf heures. Deuxio, nous n'avons pas répété. Rétrospectivement, je ne sais pas où je trouvais la force et la témérité de me battre contre Lulu. Rien que le souvenir de ce soir-là m'épuise.

Mais le lendemain matin, Lulu se leva et, de son propre chef, alla répéter avec Kiwon, alors tout n'était pas perdu. Jed suggéra très fermement que j'aille courir un bon moment avec Coco loin, très loin — et c'est ce que je fis. À midi, nous étions de retour chez Mme Vamos, accompagnés par Kiwon, et la session se passa de nouveau très bien.

J'avais nourri l'espoir que Mme Vamos nous dise peut-être : « Je serais ravie de prendre Lulu comme élève. Vous serait-il par hasard possible de venir en avion jusqu'à Chicago pour prendre des leçons une fois par mois ? » Ce à quoi j'aurais répondu : « Oui, absolument. » Mais au lieu de cela, Mme Vamos suggéra que Lulu travaille intensivement avec Kiwon comme professeur pendant l'année suivante. « Vous ne trouverez personne qui ait une meilleure technique que Kiwon, dit Mme Vamos en souriant à son ancienne élève, et, Lulu, tu as beaucoup de retard à rattraper. Mais d'ici un an ou deux, tu pourras peut-être songer à auditionner pour le programme préuniversitaire de la Juilliard School. Kiwon, c'est bien ce que tu as fait, n'est-ce pas ? Il y a une très forte concurrence, mais si tu travailles vraiment dur, Lulu, je parie que tu pourrais y être admise. Et, bien sûr, j'espère que tu reviendras me voir l'été prochain. »

Avant de reprendre la route pour New Haven, Jed, les filles et moi allâmes dans une réserve naturelle où se trouvait, entourée de hêtres et de petites cascades, une très belle piscine naturelle que notre aubergiste avait décrite comme l'une des merveilles cachées de la région. Coco avait peur de rentrer dans l'eau — elle n'avait jamais nagé auparavant — mais Jed la tira gentiment vers les eaux plus profondes où il la lâcha. J'avais peur qu'elle ne se noie mais, exactement comme Jed l'avait prédit, Coco fit la nage du chien en toute sécurité jusqu'à la rive sous nos applaudissements, et on l'essuya avec une serviette et on la serra fort dans nos bras à son arrivée.

C'est là une différence entre un chien et un enfant, me dis-je plus tard. Un chien peut faire quelque chose dont tous les chiens sont capables — la nage du chien, par exemple — et nous l'acclamons avec joie et fierté. Imaginez combien les choses seraient plus faciles si on pouvait faire de même avec nos filles ! Mais on ne peut pas ; ce serait de la négligence.

Je devais rester vigilante. Le message de Mme Vamos était clair comme de l'eau de roche. Il était temps de passer aux choses sérieuses.

19

COMMENT ON PARVIENT AU CARNEGIE HALL

J'étais démoralisée. À ma grande déception, la partition semblait particulièrement clairsemée — quelques notes *staccato* ici et là, peu de densité ou d'échelle verticale. Et la pièce était tellement courte : six misérables pages photocopiées.

Sophia et moi nous trouvions dans le studio de M. Wei-Yi Yang à l'école de musique de Yale. C'était une grande pièce rectangulaire avec deux petits pianos à queue Steinway noirs, placés l'un à côté de l'autre, l'un pour le professeur, l'autre pour l'élève. Je regardais fixement « Juliette enfant » du *Roméo et Juliette* de Sergueï Prokofiev, que Wei-Yi venait de proposer à Sophia dans l'optique d'un concours international de piano qui allait bientôt avoir lieu.

Quand je rencontrai Wei-Yi pour la première fois, il m'expliqua qu'il n'avait jamais eu d'élève aussi jeune que Sophia, qui avait à peine quatorze ans. Il n'enseignait qu'aux étudiants en piano de Yale déjà en troisième cycle, et à quelques autres encore en licence mais d'un calibre exceptionnel. Mais ayant entendu jouer Sophia, il acceptait de la prendre comme élève à une condition : qu'elle ne demande aucun traitement de faveur à cause de son âge. Je lui assurai que ce ne serait pas un problème.

J'adorais pouvoir compter sur Sophia. Elle possède une force intérieure inépuisable. Plus que moi encore, elle est capable de tout encaisser : l'exclusion, la réprimande, l'humiliation, la solitude.

Ainsi commença le baptême du feu de Sophia. Comme Mme Vamos, Wei-Yi avait des attentes qui dépassaient démesurément tout ce à quoi nous avions été habituées. Le tas de partitions qu'il donna à Sophia à sa première leçon — six inventions de Bach, un livre d'études de Moszkowski, une sonate de Beethoven, une toccata de Khatchatourian et la *Rhapsodie n° 2 en sol mineur* de Brahms — me laissa moi-même abasourdie. Sophia devait rattraper certaines choses, expliqua-t-il : sa base technique n'était pas ce qu'elle devait être et il y avait des trous béants dans son répertoire. Ce fut encore plus intimidant lorsqu'il dit à Sophia : « Et ne perds pas mon temps avec de fausses notes. À ton niveau, c'est inexcusable. C'est ton boulot de jouer juste, de sorte que nous puissions travailler sur d'autres choses pendant la leçon. »

Mais deux mois plus tard, lorsque Wei-Yi proposa les pièces de la suite *Roméo et Juliette*, j'eus la réaction contraire. Le Prokofiev ne semblait pas d'une folle exigence — ça ne me paraissait pas un morceau gagnant pour un concours. Et puis, pourquoi Prokofiev ? La seule chose que je connaissais de ce compositeur, c'était *Pierre et le loup*. Pourquoi ne pas choisir quelque chose de difficile, comme Rachmaninov ?

« Oh, ce morceau... dis-je tout haut. L'ancien professeur de piano de Sophia pensait que c'était trop facile pour elle. » Ce n'était pas tout à fait la vérité. En fait, ce n'était même pas vrai du tout. Mais je ne voulais pas que Wei-Yi pense que je défiais son jugement.

« *Facile ?* » tonitrua Wei-Yi avec mépris. Il avait une voix profonde de baryton, qui contrastait légèrement avec son corps menu et juvénile. Il était dans sa trentaine, d'ascendance mixte sino-japonaise, mais avait été élevé à Londres et formé à l'école russe. « Les concertos pour piano de Prokofiev soutiennent les cieux. Et il n'y a rien — pas la moindre note — qui soit facile dans cette pièce. Je mets au défi quiconque de bien la jouer. »

Ça me plut. J'aime les gens qui font autorité. J'aime les *experts*. C'est l'opposé de Jed, qui déteste l'autorité et croit que la plupart des « experts » sont des charlatans. Plus important encore, le Prokofiev n'était pas facile ! Hourra ! Et c'est M. Wei-Yi Yang, un expert, qui le disait.

Mon cœur tressaillit. Ceux qui remporteraient les premiers prix de ce concours joueraient comme solistes au Carnegie Hall. Jusqu'alors, Sophia n'avait participé qu'à des concours locaux. J'avais été prise de frénésie lorsqu'elle avait joué comme soliste dans l'orchestre symphonique (composé seulement d'amateurs) de Farmington Valley. Passer directement de ça à un concours international était déjà assez intimidant, mais une chance de jouer au *Carnegie Hall* ! Je tenais à peine debout rien que d'y penser.

Pendant les quelques mois qui suivirent, Sophia et moi apprenions ce que ça voulait dire que prendre des leçons de piano avec un maître. Regarder M. Yang enseigner à Sophia « Juliette enfant » fut l'une des expériences les plus incroyables et l'une des plus grandes leçons d'humilité de toute ma vie. Pendant qu'il aidait Sophia à donner vie au morceau, ajoutant chaque fois une strate de nuances, je ne pouvais que penser : cet homme est un génie ; je suis une barbare. Prokofiev est un génie ; moi, une crétine. Wei-Yi et Prokofiev sont géniaux ; je suis une cannibale.

Aller aux leçons de Wei-Yi devint mon activité favorite ; j'attendais ce moment avec impatience pendant toute la semaine. À chaque séance, je prenais religieusement des notes, les écailles me tombant des yeux. De temps en temps, je sentais que je n'étais pas de taille. Que voulait-il dire par « triades » et « tritons », et qu'entendait-il par « saisir la signification harmonique de la musique », et pourquoi Sophia semblait-elle tout comprendre si rapidement ? Mais il arrivait que je capte des choses qui échappaient à Sophia — je surveillais de près les démonstrations de Wei-Yi, tentant parfois de les saisir en dessinant des croquis dans mon carnet. De retour à la maison, nous travaillions toutes les deux ensemble d'une manière différente, essayant conjointement d'absorber et d'exécuter les éclairages et les instructions de Wei-Yi. Je n'avais plus besoin de crier après Sophia ou de me battre avec elle pour qu'elle répète. Elle était stimulée et captivée ; c'était comme si un nouvel univers s'ouvrait à elle, et à moi aussi, comme associée.

La partie la plus difficile du Prokofiev était le thème insaisissable de Juliette qui formait l'ossature du morceau. Voici ce que Sophia écrivit plus tard dans une rédaction pour l'école intitulée « À la conquête de Juliette » :

Je venais tout juste de jouer les dernières notes de « Juliette enfant », et il régnait un silence de mort dans le studio en sous-sol. M. Yang me regarda fixement. Moi, je fixai le tapis. Ma mère écrivait frénétiquement dans notre cahier de piano.

Je repassai la pièce dans ma tête. Étaient-ce les gammes ou les sauts ? Je les avais tous réussis. La dynamique ou le tempo ? J'avais observé chaque *crescendo* et *ritardando*. D'après moi, mon interprétation avait été impeccable. Alors, qu'est-ce qui n'allait pas pour ces gens, et que pouvaient-ils bien vouloir de plus ?

Finalement, M. Yang parla : « Sophia, quelle est la température de ce morceau ? »

Je restai muette.

« C'est une question piège. Je vais te faciliter les choses. Examine la partie centrale. De quelle couleur est-elle ? »

Je me rendis compte qu'il fallait que je réponde quelque chose. « Bleu ? Bleu clair ?

— Et quelle est la température du bleu ciel ? »

Ça, c'était facile : « Le bleu clair est frais.

— Alors garde la fraîcheur de la phrase. »

Qu'est-ce que c'était que ce genre d'instruction ? Le piano est un instrument à percussion. La température n'entrait pas en ligne de compte. Je pouvais entendre la mélodie lancinante et délicate dans ma tête. *Réfléchis, Sophia !* Je savais que c'était le thème de Juliette. Mais qui était Juliette et quel genre de « fraîcheur » avait-elle ? Je me remémorai quelque chose que M. Yang avait mentionné la semaine précédente : Juliette avait quatorze ans, exactement comme moi. Comment réagirais-je si un beau garçon plus âgé que moi me déclarait soudain son amour impérissable pour moi ? *Eh bien*, pensai-je, *elle sait déjà qu'elle est désirable, mais elle est aussi flattée et embarrassée. Elle est fascinée par lui, mais elle est aussi timide et a peur de sembler trop empressée.* C'était une fraîcheur que je pouvais saisir. Je respirai profondément et commençai.

De façon très surprenante, M. Yang était content. « C'est mieux. Maintenant rejoue le morceau, mais cette fois laisse Juliette être dans tes mains, pas dans tes expressions faciales. Tiens, comme ça… » Il prit ma place sur le tabouret de piano pour faire la démonstration.

Je n'oublierai jamais comment il transforma la petite mélodie. C'était exactement la Juliette que j'avais imaginée : charmante, vulnérable, un peu blasée. Le secret, commençai-je à comprendre, était de laisser la main refléter le caractère du morceau. Celle de M. Yang prenait la forme d'une tente ; il cajolait les touches pour obtenir les notes. Ses doigts étaient puissants et élégants, comme les jambes d'une ballerine.

« À toi, maintenant », ordonna-t-il.

Malheureusement, Juliette ne durait que la moitié du morceau. La page suivante amenait un nouveau personnage : un Roméo amoureux, carburant à la testostérone. Il représentait un défi complètement différent ; son thème était aussi riche et musclé que celui de Juliette était svelte et éthéré. Et bien sûr, M. Yang me réservait d'autres questions avec lesquelles je devais me colleter.

« Sophia, ton Roméo et ta Juliette sonnent pareil. Avec quels instruments sont-ils joués ? »

Je ne comprenais pas. *Heu, le piano ?* me dis-je intérieurement.

M. Yang continua : « Sophia, ce ballet a été écrit pour tout un orchestre. En tant que pianiste, tu dois rendre le son de tous les instruments. Alors quel est l'instrument de Juliette et quel est celui de Roméo ? »

Perplexe, je suivis du doigt les premières mesures de chaque thème. « Juliette est… la flûte, peut-être, et Roméo est… le violoncelle ? »

En fin de compte, Juliette était un basson. J'avais toutefois vu juste pour Roméo. Dans l'arrangement initial de Prokofiev, son thème est bel et bien joué par le violoncelle. Le personnage de Roméo était toujours plus facile à comprendre pour moi. Je ne suis pas sûre de savoir pourquoi ; ce n'était certainement pas le vécu qui m'inspirait. J'étais peut-être juste désolée pour lui. Manifestement, il était condamné, et il était éperdument épris, au point que la moindre esquisse du thème de Juliette le faisait supplier à genoux.

Si Juliette m'échappa longtemps, j'ai toujours su que je pouvais comprendre Roméo. Son humeur changeante exigeait un certain nombre de techniques de jeu différentes. Certaines fois, il était sonore et sûr de lui. Puis, quelques mesures plus loin, il était désespéré et implorant. J'essayais d'entraîner mes mains comme M. Yang me disait de le faire. C'était déjà assez difficile d'être à la fois une soprano et une danseuse étoile pour Juliette, mais voilà qu'il fallait que je joue du piano comme une violoncelliste.

Je vais garder la conclusion de la rédaction de Sophia pour un chapitre à venir.

Le concours pour lequel Sophia se préparait était ouvert à tous les jeunes pianistes du monde entier, à toute personne qui n'était pas déjà musicien professionnel. De façon plutôt inhabituelle, aucune partie de l'audition ne devait donner lieu à une séance publique : les gagnants seraient désignés uniquement sur la base d'un CD inédit de quinze minutes, contenant n'importe quelles pièces de notre choix. Wei-Yi insista pour que le CD de Sophia s'ouvre sur « Juliette enfant », suivi immédiatement de « La rue s'éveille », une autre pièce de *Roméo et Juliette*. Tel un commissaire d'exposition artistique, il choisit avec soin les autres œuvres — une rhapsodie du Hongrois Liszt, une sonate de Beethoven de la période héroïque — qui allaient compléter le CD.

Après huit semaines éreintantes, Wei-Yi dit que Sophia était prête. Un mardi, tard dans la soirée, après qu'elle eut fini ses devoirs et ses répétitions, nous sommes allées enregistrer le CD de Sophia au studio d'un ingénieur du son professionnel qui s'appelait Istvan. Ce fut une expérience traumatisante. Au début, je ne comprenais pas. Ça devrait être facile, pensai-je en moi-même. Nous pouvons recommencer autant de fois qu'il le faut jusqu'à obtenir une version parfaite. Grosse erreur. Ce que je ne comprenais pas, c'était que : 1) les mains des pianistes se fatiguent ; 2) il est extrêmement difficile de jouer avec musicalité quand il n'y a pas de public et que l'on sait que chaque note est enregistrée ; et 3) comme Sophia me l'expliqua, les larmes aux yeux, plus elle jouait et rejouait ses morceaux, faisant de son mieux chaque fois pour y faire passer de l'émotion, plus ils sonnaient creux.

La partie la plus difficile de chaque morceau était invariablement la dernière page — parfois la dernière ligne. C'était comme regarder votre patineuse artistique préférée qui semble bien partie pour remporter la médaille d'or pour peu qu'elle ne rate pas sa réception lors des tout derniers sauts. La pression monte de façon insupportable. C'est peut-être pour cette fois, pensez-vous, ça y est, c'est la bonne. Et voilà qu'elle manque l'atterrissage du dernier triple axel qui l'envoie rebondir et s'affaler de tout son long sur la glace.

Quelque chose de similaire se produisit avec la sonate de Beethoven de Sophia, qui ne voulait pas sortir correctement. Après le troisième enregistrement, quand Sophia omit deux lignes entières vers la fin, Istvan suggéra avec douceur que je sorte prendre l'air. Istvan était très cool. Il portait une veste de cuir noire, un bonnet de ski noir et des lunettes Clark Kent noires. « Il y a un café en bas de la rue, ajouta-t-il. Vous pourriez peut-être ramener un chocolat chaud à Sophia. Moi-même, je prendrais bien un café. » Quand je revins avec les boissons quinze minutes plus tard, Istvan était en train de remballer et Sophia rigolait. Ils me dirent qu'ils avaient obtenu un Beethoven qui était suffisamment bon — pas sans erreur, mais très musical — et j'étais trop soulagée pour les questionner.

Nous avons embarqué le CD contenant tous les essais de Sophia pour chaque morceau et l'avons donné à Wei-Yi qui fit l'ultime sélection (« le premier Prokofiev, le troisième Liszt et le dernier Beethoven, s'il vous plaît »). Istvan grava ensuite la version finale du CD que nous avons envoyé par Fed Ex au concours.

Et puis nous avons attendu.

20

COMMENT ON PARVIENT AU CARNEGIE HALL, SECONDE PARTIE

C'était au tour de Lulu ! Il n'y a pas de repos pour la mère chinoise, pas de temps pour recharger les batteries, pas de possibilité de s'envoler avec des amis pendant quelques jours vers des sources boueuses en Californie. Pendant que nous attendions la réponse du concours de Sophia, je tournai mon attention vers Lulu, qui avait alors onze ans, et j'eus une idée formidable : comme Mme Vamos l'avait suggéré, Lulu auditionnerait pour le programme préuniversitaire de la Juilliard School à New York, ouvert aux enfants très talentueux qui ont grosso modo entre sept et dix-huit ans. Kiwon n'était pas certaine que Lulu soit tout à fait prête techniquement, mais j'étais sûre qu'on pouvait accélérer les choses.

Jed me désapprouvait et essayait continuellement de me faire changer d'avis. Le programme préuniversitaire de la Juilliard est connu pour son intensité. Chaque année, des milliers d'enfants très performants du monde entier — en particulier d'Asie, et plus récemment de Russie et d'Europe de l'Est — auditionnent pour une poignée de places. Les enfants qui se présentent le font parce que : 1) leur rêve est de devenir musiciens professionnels ; ou 2) le rêve de leurs parents est qu'ils deviennent musiciens professionnels ; ou 3) leurs parents pensent, avec justesse, qu'aller à la Juilliard School les aidera à entrer dans l'une des plus prestigieuses universités américaines. Les heureux élus étudient à la Juilliard tous les samedis pendant neuf ou dix heures.

Jed n'était pas enthousiaste à l'idée de se lever à l'aube tous les samedis pour rouler jusqu'à New York (je disais que je le ferais). Mais ce qui l'inquiétait le plus, c'était l'atmosphère électrique et parfois la compétition sans pitié qui font la réputation de la Juilliard School. Il n'était pas sûr que ce soit une bonne chose pour Lulu, et Lulu n'était pas non plus certaine que ce soit une bonne chose pour elle. En fait, elle affirmait qu'elle ne voulait pas auditionner et qu'elle n'irait pas à la Juilliard, même si elle y était admise. Mais Lulu ne veut jamais faire quoi que ce soit que je propose, alors naturellement je l'ignorais.

Il y avait une autre raison pour laquelle Jed doutait que la Juilliard School fût une bonne idée : des années plus tôt, il avait en fait lui-même étudié là-bas. Après avoir terminé ses études de premier cycle à Princeton, il avait été accepté dans la section art dramatique de la Juilliard, dont l'examen d'entrée est notoirement connu pour être encore plus difficile que leur section musique célèbre dans le monde entier. Alors Jed emménagea à New York et étudia le théâtre avec des camarades de classe parmi lesquels figuraient Kelly McGillis (*Top Gun*), Val Kilmer (*Batman*

Forever) et Marcia Cross (*Desperate Housewives*). Il sortit avec des danseuses de ballet, apprit la technique Alexander, et joua le rôle principal dans *Le Roi Lear*.

Et puis Jed fut renvoyé… pour « insubordination ». Il jouait Lopakhine dans *La Cerisaie* de Tchekhov, et la metteuse en scène lui demanda de faire quelque chose d'une façon particulière. Jed n'était pas d'accord avec elle. Quelques semaines plus tard, à l'improviste, pendant une répétition, elle entra dans une colère noire contre Jed, cassant des crayons en deux, déclarant qu'elle ne pouvait pas travailler avec quelqu'un qui « reste planté là à se moquer de moi avec mépris et à critiquer tout ce que je dis ». Deux jours plus tard, le président de la section art dramatique (qui se trouvait être le mari de la metteuse en scène que Jed avait offensée) lui annonça qu'il ferait mieux de trouver autre chose à faire. Après une année passée à travailler comme serveur dans la restauration à New York, cet autre chose fut finalement la faculté de droit de Harvard.

Peut-être parce que, selon moi, cette histoire se finit bien — Jed et moi ne nous serions pas rencontrés s'il était resté à la Juilliard — je l'ai racontée à toutes les soirées et elle rencontre toujours un franc succès, surtout que je l'enjolive. Les gens semblent trouver super qu'un professeur de droit soit allé à la Juilliard et ait connu Kevin Spacey (qui avait quelques années d'avance sur Jed). Il y a aussi quelque chose dans l'insubordination et dans le fait d'être renvoyé que les Américains adorent.

En revanche, lorsque nous avons raconté cette histoire

à mes parents, elle n'a pas été bien accueillie du tout. C'était avant que Jed et moi ne soyons mariés. En fait, je ne leur avais révélé son existence que peu de temps auparavant. Après avoir caché Jed pendant deux ans, je leur avais finalement annoncé de but en blanc que j'avais une relation sérieuse avec lui, et ils étaient sous le choc. Ma mère était pratiquement en deuil. Quand j'étais petite, elle m'avait donné beaucoup de conseils sur la façon de trouver le bon mari. « N'épouse pas un homme qui soit trop beau — c'est dangereux. Les choses qui comptent le plus chez un mari sont la moralité et la santé ; si tu te maries avec un homme souffreteux, tu auras une vie terrible. » Mais elle était toujours partie du principe que l'homme non souffreteux serait chinois, dans l'idéal un Fujianois détenteur d'un doctorat.

Au lieu de cela, c'est Jed qu'ils avaient devant eux — blanc et juif. Aucun de mes parents ne fut le moins du monde impressionné que Jed ait étudié l'art dramatique.

« L'art dramatique ? répéta mon père, assis sur le canapé à côté de ma mère, dévisageant Jed sans sourire. Vous vouliez être comédien ? »

Les noms de Val Kilmer et Kelly McGillis ne semblaient pas signifier quoi que ce soit pour mes parents, qui restèrent de marbre. Mais lorsque Jed arriva au passage où il fut renvoyé et dut travailler comme serveur pendant six mois, ma mère s'étrangla.

« *Renvoyé ?* » s'exclama-t-elle en lançant un regard angoissé à mon père.

« Est-ce que ça figure dans votre casier judiciaire ? » demanda mon père d'un ton grave.

« Papa, ne t'inquiète pas ! dis-je d'un ton rassurant. Ça s'est révélé être un coup de chance. Jed a fini par aller en fac de droit à la place, et il adore le droit. C'est juste une histoire amusante.

— Mais tu dis maintenant qu'il travaille pour le gouvernement », lança mon père d'un ton accusateur. Je voyais bien qu'il s'imaginait Jed à un guichet en train de tamponner des formulaires d'enregistrement de véhicules et des permis de conduire.

Pour la troisième fois, j'expliquai patiemment à mes parents que Jed, qui souhaitait faire quelque chose pour le bien public, avait quitté son cabinet d'avocats de Wall Street pour travailler en tant que procureur fédéral au bureau du procureur des États-Unis pour le district sud de New York. « C'est vraiment prestigieux, expliquai-je, et c'était *tellement* difficile d'obtenir ce poste. Jed a dû réduire son salaire de quatre-vingts pour cent.

— *Quatre-vingts pour cent !* s'écria ma mère.

— Maman, c'est seulement pour trois ans », dis-je avec lassitude, sur le point d'abandonner. Chez nos amis occidentaux, dire que Jed avait accepté une réduction de salaire pour contribuer au service public provoquait toujours des « bravo ! » et des compliments. « C'est au moins une expérience importante. Jed aime les litiges. Il voudra peut-être devenir avocat.

— Pourquoi ? demanda ma mère âprement. Parce qu'il

voulait être *comédien* ? » Ce dernier mot, elle le cracha, comme s'il portait une tache morale indélébile.

C'est drôle de repenser à ça maintenant et de voir combien mes parents ont changé depuis. Au moment où je songeais à la Juilliard pour Lulu, mes parents en étaient venus à adorer Jed. (Ironie du sort, le fils de bons amis de la famille était entre-temps devenu un acteur célèbre à Hong Kong, et mes parents avaient aussi complètement changé d'avis sur l'art dramatique.) Ils avaient également compris que la Juilliard School était célèbre (« Yo-Yo Ma ! »). Mais, comme Jed, ils ne comprenaient pas pourquoi je voulais que Lulu auditionne pour le programme préuniversitaire.

« Tu ne veux tout de même pas qu'elle devienne violoniste professionnelle ? » demanda mon père, perplexe.

Je n'avais pas de réponse, mais ça ne m'empêcha pas d'être têtue. À peu près au moment où je remis le CD de Sophia au concours de piano, je soumis la candidature de Lulu à la Juilliard.

Comme je l'ai dit, élever les enfants à la chinoise est beaucoup plus difficile que de le faire à l'occidentale. Il n'y a tout simplement aucun répit. À peine avais-je terminé de travailler sans relâche avec Sophia que je devais faire de même avec Lulu.

Le processus d'audition du programme préuniversitaire de la Juilliard School est établi de telle manière qu'il porte la pression au maximum. Les candidats de l'âge de Lulu doivent être prêts à jouer les gammes majeures et mineures sur trois octaves, ainsi que des arpèges, une étude, un mouvement lent de concerto et un rapide, et un autre morceau contrasté — le tout de mémoire, évidemment. Lors de l'audition elle-même, les enfants entrent dans une pièce, sans les parents, et jouent devant un jury d'environ cinq à dix professeurs du programme préuniversitaire, qui peuvent demander à entendre n'importe quel morceau, dans n'importe quel ordre, et les arrêter à n'importe quel moment. Les professeurs de violon du programme incluent de grands noms comme Itzhak Perlman et le premier violon de l'Orchestre philharmonique de New York, Glenn Dicterow, ainsi que certains des plus importants enseignants pour jeunes violonistes qui soient au monde. Nous lorgnions vers une enseignante qui s'appelait Naoko Tanaka et qui, comme Mme Vamos, était extrêmement demandée par des élèves du monde entier, prêts à tout pour entrer dans sa classe. Nous avions entendu parler de Mlle Tanaka parce que Kiwon avait été son élève pendant neuf ans, avant de partir à l'âge de dix-sept ans étudier avec Mme Vamos.

C'était particulièrement dur d'aider Lulu à se préparer, car elle affirmait toujours que ni aujourd'hui, ni demain, ni jamais elle ne passerait l'audition. Tout ce que Kiwon lui avait dit à ce sujet lui faisait horreur. Elle savait que certains des candidats viendraient de Chine, de Corée du Sud et d'Inde seulement pour passer une audition à laquelle ils s'étaient préparés pendant des années. D'autres auraient essuyé deux ou trois refus lors de précédentes auditions. D'autres encore prenaient déjà des leçons particulières avec des professeurs du programme préuniversitaire.

Mais je m'accrochais. « C'est toi qui prendras la décision finale, Lulu, mentais-je. Nous allons nous préparer pour l'audition, mais, si au bout du compte tu ne veux vraiment pas la passer, tu n'y seras pas obligée. » « Ne t'interdis jamais de tenter quelque chose par peur, pontifiais-je à d'autres moments. Toutes les choses importantes que j'ai faites étaient des choses que j'avais une peur folle de tenter. » Afin d'améliorer la productivité, j'engageai non seulement Kiwon pendant de nombreuses heures par jour, mais aussi une charmante étudiante de premier cycle à Yale qui s'appelait Lexie et que Lulu en vint à adorer. Si Lexie ne maîtrisait pas la technique comme Kiwon, elle jouait néanmoins dans l'orchestre de Yale et aimait vraiment la musique. Intellectuelle et philosophe, elle se posait des questions et avait une influence merveilleuse sur Lulu. Elles parlaient ensemble de leurs compositeurs et de leurs concertos préférés, des violonistes surfaits et des différentes interprétations des morceaux de Lulu. Après leurs conversations, Lulu était toujours motivée pour répéter.

Pendant ce temps, je donnais toujours mes cours à Yale et j'étais en train de finir un deuxième livre, celui-là sur les grands empires de l'histoire et le secret de leur réussite. Je voyageais aussi sans arrêt pour aller donner des conférences sur la démocratisation et le conflit ethnique.

Un jour que je me trouvais dans un aéroport à attendre mon vol pour rentrer à New Haven, je consultai mon BlackBerry et vis un courrier électronique des sponsors du concours de piano de Sophia. Pendant quelques minutes, je fus tétanisée par la peur d'une mauvaise nouvelle jusqu'à ce que finalement, n'en pouvant plus, j'appuie sur la touche.

Sophia était lauréate d'un premier prix. Elle allait jouer au Carnegie Hall ! Il y avait juste un problème : le concert de Sophia au Carnegie Hall aurait lieu la veille au soir de l'audition de Lulu à la Juilliard.

21

LE DÉBUT ET L'AUDITION

Sophia au Carnegie Hall en 2007.

C'était le grand jour — le jour du début de Sophia au Carnegie Hall. Cette fois-ci, j'étais vraiment déchaînée. J'avais parlé avec Jed et nous avions décidé, cette année-là, de renoncer à nos vacances d'hiver. Sophia allait porter une robe de satin gris anthracite qui descend jusqu'à terre de chez Barneys New York — un événement pareil demandait plus qu'une simple robe de chez David's Bridal ! Une réception devait suivre : je louai la salle Fontainebleau au St. Regis New York, où nous réservâmes aussi deux chambres pour deux nuits. En plus des sushis, des gâteaux de crabe, des boulettes, des quesadillas, d'un bar à huîtres, et des bols en argent remplis de crevettes géantes sur lit de glace, je commandai pour le buffet du filet de bœuf, du canard laqué de Pékin (les enfants auraient droit à des pâtes). In extremis, je fis venir en prime des gougères au gruyère, des arancini siciliens aux champignons sauvages, et un dessert géant. J'avais aussi imprimé les invitations que j'envoyai à tous les gens que je connaissais.

Chaque fois qu'une nouvelle facture arrivait, les yeux de Jed s'écarquillaient démesurément. « Bon, voilà nos vacances d'été qui s'en vont aussi », dit-il à un certain moment. Ma mère, pendant ce temps, était horrifiée par mon extravagance ; avec mes parents, nous n'étions jamais allés que dans des Motel 6 ou des Holiday Inn. Mais le Carnegie Hall, ça n'arrive qu'une fois dans une vie, et j'étais résolue à rendre cette occasion inoubliable.

Pour la clarté de l'analyse, je devrais probablement signaler que certains aspects de mon comportement — par exemple, ma tendance à frimer et à exagérer — ne sont pas caractéristiques de la plupart des mères chinoises. J'ai hérité ces défauts, ainsi que ma voix sonore et mon amour des grandes fêtes et de la couleur rouge, de mon père. Même pendant mon adolescence, ma mère, qui est très discrète et modeste, disait en secouant la tête : « C'est génétique. Amy est un clone de l'excentrique. » Ce dernier terme s'appliquait à mon père que j'ai, il est vrai, toujours idolâtré.

Nous avions notamment négocié avec le St. Regis l'accès

à un piano et, la veille du récital, Sophia et moi répétions par intermittence tout au long de la journée. Jed s'inquiétait que j'aille trop loin et que j'épuise les mains de Sophia ; Wei-Yi nous avait dit que Sophia connaissait ses morceaux sur le bout des doigts et qu'être calme et concentrée importait plus que tout. Mais je devais m'assurer que l'interprétation de Sophia serait parfaite, qu'elle n'omettrait pas la moindre petite nuance géniale que Wei-Yi nous avait enseignée. Contrairement aux conseils de tout le monde, nous répétâmes la veille jusqu'à quasiment une heure du matin. Mes dernières paroles pour Sophia furent : « Tu vas être formidable. Quand on a travaillé autant que tu l'as fait, on sait qu'on a vraiment fait de son mieux, et peu importe maintenant ce qui se passera. »

Le lendemain, quand le moment arriva — tandis que je pouvais à peine respirer et que je serrais, quasiment dans un état de rigidité cadavérique, l'accoudoir de mon siège —, Sophia joua brillamment, avec jubilation. Je connaissais chaque note, chaque silence, chaque touche facétieuse comme ma poche. Je savais où se trouvaient les pièges potentiels ; Sophia les souffla tous au passage. Je connaissais ses parties préférées, ses transitions les plus magistrales. Je reconnus l'endroit où, Dieu merci, elle évita d'accélérer, et le moment exact où elle entama la dernière ligne droite, s'autorisant à improviser avec émotion, sachant que c'était déjà un triomphe absolu.

Après, pendant que tout le monde se précipitait pour la féliciter et l'embrasser, je restai en retrait. Je n'avais pas besoin du moment cliché où « les yeux de Sophia cherchèrent les miens dans la foule ». Je regardais seulement de loin ma jolie petite fille déjà grande, riant avec ses amis et empilant les fleurs.

Dans les moments de désespoir, je me force à revivre ce souvenir. Mes parents et mes sœurs étaient venus assister au récital, tout comme le père de Jed, Sy, et sa femme, Harriet, et de nombreux amis et collègues. Wei-Yi était venu de New Haven et il était manifestement fier de sa jeune élève. Selon Sophia, ce fut l'un des plus beaux jours de sa vie. Je n'avais pas seulement invité toute sa classe, j'avais loué une camionnette pour transporter ses camarades aller-retour entre New Haven et New York. Personne ne peut applaudir aussi fort qu'un groupe de collégiens écervelés lâchés dans New York — et personne d'autre ne serait capable de manger autant de cocktail de crevettes (que le St. Regis faisait payer à la pièce).

Comme promis, voici comment se termine le devoir de Sophia « À la conquête de Juliette » :

> Je ne compris pas tout à fait ce qu'il se passait jusqu'à ce que je me retrouve dans les coulisses, pétrifiée, tremblante. Mes mains étaient froides. Je n'arrivais pas à me rappeler comment commençait mon morceau. Un vieux miroir trahissait le contraste entre mon visage d'un blanc crayeux et ma robe sombre, et je me demandais combien d'autres musiciens s'étaient dévisagés dans ce même miroir.
>
> Le Carnegie Hall. Quelque chose semblait ne pas coller. C'était censé être l'objectif inatteignable, la carotte d'un faux espoir qui me ferait continuer à répéter pendant toute ma vie. Et pourtant j'étais là, collégienne, sur le point de jouer « Juliette enfant » pour la foule impatiente.

J'avais travaillé tellement dur pour ça. Roméo et Juliette n'étaient pas les seuls personnages que j'avais appris. Le doux murmure répétitif qui accompagnait Juliette était sa nourrice ; les accords turbulents étaient les amis taquins de Roméo. Une si grande partie de moi se manifestait dans ce morceau, d'une manière ou d'une autre. À ce moment-là, je réalisai combien j'aimais cette musique.

Jouer n'est pas facile — en fait, ça vous brise le cœur. Vous passez des mois, voire des années, à maîtriser un morceau ; vous finissez par faire partie du morceau et celui-ci finit par faire partie de vous. Jouer pour un public, c'est comme donner son sang ; vous vous sentez vide et un peu étourdi. Et quand c'est terminé, votre morceau ne vous appartient plus.

C'était l'heure. Je marchai jusqu'au piano et saluai. Seule la scène était illuminée, et je ne pouvais pas voir les visages du public. Je dis au revoir à Roméo et Juliette, puis je les libérai dans l'obscurité.

Le succès de Sophia me stimula, me remplit de nouveaux rêves. Je ne pus m'empêcher de remarquer que la salle de récital Weill où joua Sophia — quoique tout à fait charmante avec ses arches de style Belle Époque et ses proportions symétriques — était un lieu de concert relativement petit, situé au troisième étage du Carnegie Hall. J'appris que la salle bien plus grande et magnifique que j'avais vue à la télévision, où certains des plus grands musiciens du monde avaient joué devant un public de trois mille personnes, s'appelait l'Auditorium Isaac Stern. Je pris note mentalement que nous devrions essayer d'arriver là un jour.

Il y eut quelques ombres au tableau ce jour-là. Nous sentions tous l'absence de Florence, qui laissait un vide que rien ne pouvait remplir. Ça nous blessa aussi un peu que l'ancienne prof de piano de Sophia, Michelle, ne soit pas venue ; le fait de passer chez Wei-Yi avait été mal pris, malgré nos efforts pour maintenir une relation. Mais ce qu'il y eut de pire, c'est que Lulu fut victime d'une intoxication alimentaire le jour du récital. Après avoir répété les morceaux de son audition toute la matinée, elle et Kiwon étaient allées déjeuner dans une épicerie fine. Vingt minutes plus tard, Lulu avait la nausée et se tordait de douleur. Elle réussit à rester pendant tout le concert de Sophia avant de sortir de la salle en chancelant ; Kiwon la ramena ensuite en taxi à l'hôtel. Lulu manqua toute la réception au St. Regis, Jed et moi nous relayant pendant la fête pour monter en courant jusqu'à notre chambre où Lulu, avec ma mère à ses côtés pour s'occuper d'elle, vomit toute la nuit.

Le lendemain matin, nous emmenions à la Juilliard School une Lulu pâle comme un fantôme et à peine capable de marcher. Avec sa robe jaune et blanche et son gros nœud dans les cheveux, ses traits tirés étaient encore plus accusés. Je songeais à annuler l'audition, mais nous avions consacré tellement d'heures à la préparer que même Lulu voulait la passer. Dans la zone d'attente, nous voyions partout des parents asiatiques qui faisaient les cent pas, l'air sévère et résolu. Ils semblent tellement frustes, pensai-je en moi-même, est-il seulement possible qu'ils aiment la musique ? Puis je réalisai soudain que presque tous les autres parents étaient étrangers ou immigrés et que la musique était un billet pour eux, ce qui me fit penser : « Je ne suis pas comme eux. Je n'ai pas tout ce qu'il faut pour y arriver. »

Quand ils appelèrent le nom de Lulu et qu'elle entra toute seule bravement dans la salle d'audition, j'en eus presque le cœur brisé — j'étais sur le point de baisser les bras. Mais au lieu de cela, Jed et moi collions nos oreilles à la porte pour l'écouter interpréter le *Troisième Concerto* de Mozart et la *Berceuse* de Gabriel Fauré. Elle joua les deux œuvres d'une façon plus émouvante que jamais. Après l'audition, Lulu nous dit qu'Itzhak Perlman et Naoko Tanaka, le célèbre professeur de violon, étaient dans la salle parmi les membres du jury.

Un mois plus tard, nous recevions la mauvaise nouvelle par la poste. Jed et moi savions immédiatement ce que contenait la mince enveloppe ; Lulu était encore à l'école. Après avoir lu les deux lignes formelles de la lettre de refus, Jed détourna les yeux avec dégoût. Il ne me dit rien, mais l'accusation muette signifiait : « Alors, Amy, tu es satisfaite ? Et maintenant, qu'est-ce qu'on fait ? »

Quand Lulu rentra à la maison, je lui dis aussi joyeusement que possible : « Hé, Lulu, ma chérie, tu sais quoi ? On a reçu des nouvelles de la Juilliard. Ils ne t'ont pas acceptée. Mais ça ne fait rien — on ne pensait pas y entrer cette année. Beaucoup de gens ne sont pas admis la première fois. Maintenant on sait ce qu'on doit faire la prochaine fois. »

Je ne pouvais supporter de voir l'expression qui apparut soudain sur le visage de Lulu. Je pensai l'espace d'un instant qu'elle allait se mettre à pleurer, mais je réalisai alors qu'elle ne ferait jamais ça. Comment ai-je pu l'exposer à une telle déception ? me demandai-je. Toutes ces heures que nous avions consacrées à ce projet étaient maintenant de grosses taches noires dans nos souvenirs. Et comment pourrais-je jamais la faire répéter…

« Je suis contente de ne pas avoir été admise. » La voix de Lulu interrompit mes pensées. Elle avait l'air un peu en colère maintenant.

« Lulu, nous sommes tellement fiers, papa et moi, que…

— Oh, *arrête*, dit-elle d'un ton brusque. Je t'ai dit que je m'en fiche. C'est toi qui m'as forcée à le faire. Je *hais* la Juilliard. Je suis contente de ne pas avoir été admise », répéta-t-elle.

Je ne sais pas très bien ce que j'aurais fait si je n'avais reçu le lendemain un appel — à mon immense surprise — de Naoko Tanaka. Celle-ci me dit qu'elle pensait que Lulu avait merveilleusement auditionné, montrant une musicalité inhabituelle, et qu'elle-même avait voté pour accepter Lulu. Elle expliqua aussi qu'une décision avait été prise cette année-là de réduire la section violon du programme préuniversitaire ; en conséquence, un nombre sans précédent de candidats avait concouru pour un nombre de places plus restreint que jamais, ce qui avait rendu le concours d'entrée encore plus difficile que d'habitude. Je commençais tout juste à remercier Mlle Tanaka pour son appel attentionné lorsqu'elle proposa de prendre Lulu comme élève dans son cours privé.

J'étais stupéfaite. Le cours privé de Mlle Tanaka était connu pour être très fermé — il était presque impossible d'y avoir une place. Mon moral remonta en flèche et je réfléchis rapidement. Ce que je voulais vraiment, c'était que Lulu ait un excellent professeur ; le programme préuniversitaire ne m'importait pas tant que ça. Je savais qu'étudier avec Mlle Tanaka signifiait qu'il faudrait faire l'aller-retour en voiture à New York tous les week-ends. Je n'étais pas sûre non plus de la réaction de Lulu.

J'acceptai sur-le-champ au nom de Lulu.

22

DÉFAITE À BUDAPEST

Après toutes ces heures pénibles pour préparer l'audition à la Juilliard School, et puis l'intoxication alimentaire et la lettre de refus, on pensera que j'ai laissé Lulu tranquille quelque temps. C'est probablement ce que j'aurais dû faire. Mais c'était il y a deux ans, j'étais alors beaucoup plus jeune, et je ne la laissais pas se reposer. Se montrer moins exigeant n'aurait pas rendu justice à Lulu. C'eût été la solution de facilité, que je considérais comme la façon de faire occidentale. Au lieu de cela, je fis grimper encore plus la pression. Pour la première fois, j'en subissais réellement les conséquences, mais ce n'était rien comparé au prix que j'aurais à payer au bout du compte.

Deux des invités les plus importants au récital de Sophia au Carnegie Hall étaient les Hongrois Oszkár et Krisztina Pogány, amis de longue date de la famille, qui étaient justement en train de visiter New York au même moment. Oszkár, physicien de renom, est un proche ami de mon père ; sa femme, Krisztina, est une ancienne pianiste de concert qui est maintenant très impliquée sur la scène musicale de Budapest. Après le concert, elle se précipita vers nous, s'extasia sur le jeu de Sophia — elle avait particulièrement apprécié son « Juliette enfant » — et dit qu'elle avait une inspiration.

Budapest, expliqua Krisztina, fêterait bientôt la Nuit des musées. Partout dans la ville, auraient lieu des conférences et des manifestations artistiques ; pour le prix d'un seul billet, les gens pourraient « sauter d'un musée à l'autre » jusque tard dans la nuit. Dans ce cadre, l'Académie de musique Franz Liszt présenterait un certain nombre d'événements, et Krisztina pensait que le concert d'une « jeune prodige d'Amérique », avec Sophia pour vedette, rencontrerait un énorme succès.

C'était une invitation à vous couper le souffle. Budapest est connue pour être une cité musicale, ville de prédilection non seulement de Liszt, mais aussi de Béla Bartók et de Zoltán Kodály. On dit que son remarquable Opéra national de Hongrie n'est surpassé en qualité acoustique que par la Scala de Milan et le palais Garnier à Paris. Le lieu que Krisztina proposait pour le concert était la Vieille Académie, un élégant immeuble néo-Renaissance de trois étages qui servait autrefois de résidence officielle à Franz Liszt, le fondateur et président de l'académie. La Vieille Académie (remplacée en 1907 par l'Académie de musique Franz Liszt, située à quelques rues de là) était maintenant un musée rempli des partitions musicales manuscrites, des instruments et des meubles originaux du compositeur. Krisztina dit à Sophia qu'elle jouerait sur l'un des pianos de Liszt ! De surcroît, il y aurait un large public —

sans compter qu'il s'agirait du premier public payant de Sophia.

Mais j'avais un problème. Si vite après le tapage autour du Carnegie Hall, comment Lulu réagirait-elle à un autre grand événement qui mettrait Sophia au centre de l'attention ? Lulu avait été contente de la proposition de Mlle Tanaka ; me surprenant quelque peu, elle dit immédiatement qu'elle acceptait l'offre. Mais ça n'atténua qu'un peu la déception cuisante de la Juilliard. Pour ne rien arranger, je n'avais pas pensé à garder le secret sur son audition, et Lulu fut confrontée pendant des mois à des gens qui lui demandaient : « As-tu déjà obtenu les résultats de l'audition ? Il est sûr et certain que tu as été acceptée. »

L'approche éducative chinoise est plus faible quand il s'agit d'échec ; elle ne tolère tout simplement pas cette éventualité. Le modèle chinois repose sur le succès. C'est ainsi qu'est enclenché le cercle vertueux de la confiance en soi, du dur labeur et d'une plus grande réussite. Je savais que je devais m'assurer que Lulu parvienne à cette réussite — au même niveau que Sophia — avant qu'il ne soit trop tard.

J'élaborai un plan pour lequel j'engageai ma mère en tant qu'agent. Je lui demandai d'appeler son amie de longue date, Krisztina, et de lui parler de Lulu et du violon : comment celle-ci avait joué devant Jessye Norman, puis devant Mme Vamos, professeur de violon réputé, qui toutes avaient trouvé Lulu incroyablement douée et, enfin, comment un professeur mondialement connu de la mondialement connue Juilliard School venait tout juste d'accepter Lulu comme élève particulière. Je dis à ma mère de tâter le terrain pour voir s'il serait possible que Lulu joue avec Sophia en duo à Budapest, même un seul morceau. Peut-être, lui dis-je de suggérer, ce morceau pourrait-il être les *Danses populaires roumaines pour piano et violon* de Bartók, que les filles avaient joué récemment — et qui, je le savais, plairait à Krisztina. Avec Liszt, Bartók est le compositeur le plus célèbre de Hongrie, et ses *Danses populaires* plaisent énormément aux foules.

Nous avons eu de la veine. Krisztina, qui avait rencontré Lulu et apprécié sa personnalité fougueuse, dit à ma mère qu'elle était enchantée par l'idée que Sophia joue une pièce avec sa petite sœur, et que les *Danses populaires roumaines* enrichiraient parfaitement le programme. Krisztina dit qu'elle arrangerait tout et qu'elle changerait même l'affiche de l'événement par le titre « Deux sœurs prodiges d'Amérique ».

Le concert des filles était prévu pour le 23 juin, seulement un mois plus tard. Une fois de plus, je m'y mettais d'arrache-pied. La somme de travail à accomplir était ahurissante. J'avais exagéré en disant à ma mère que les filles avaient récemment joué les *Danses roumaines* ; par « récemment » je voulais dire un an et demi plus tôt. Pour réapprendre les *Danses* et les interpréter comme il faut, les filles et moi devions travailler sans relâche. Pendant ce temps, Sophia était aussi en train de répéter frénétiquement quatre autres morceaux que Wei-Yi avait choisis pour elle : la *Rhapsodie en sol mineur* de Brahms, une pièce d'une compositrice chinoise, le *Roméo et Juliette* de Prokofiev et, évidemment, l'une des célèbres *Rhapsodies hongroises* de Liszt.

Bien que Sophia eût le répertoire difficile, c'était Lulu qui me préoccupait réellement. Je souhaitais de tout mon cœur qu'elle soit éblouissante. Je savais que mes parents assisteraient au concert ; le hasard voulait qu'ils soient justement à Budapest au mois de juin, car mon père allait faire son entrée à l'Académie hongroise des sciences. Je ne voulais pas non plus décevoir Krisztina. Plus que tout, je souhaitais que Lulu réussisse pour elle-même. C'est exactement ce dont elle a besoin, me disais-je ; ça lui procurera tellement d'assurance et de fierté si elle réussit. Il fallait que je gère une certaine résistance de la part de Lulu : je lui avais promis du temps libre après son audition, quoi qu'il arrive, et voilà que je manquais à cette promesse. Mais je me cuirassai pour la bataille et, quand la situation devint intolérable, j'engageai Kiwon et Lexie comme auxiliaires.

Voici quelque chose que l'on me demande souvent : « Mais Amy, si je peux me permettre de te poser une question, pour qui fais-tu tout ça : pour tes filles (et là, systématiquement, la tête s'incline d'un air entendu) ou pour *toi* ? » Je trouve que c'est là une question très occidentale (car, dans la pensée chinoise, l'enfant est l'extension de soi). Mais ça ne veut pas dire qu'elle n'est pas importante.

Ma réponse, j'en suis pratiquement sûre, est que tout ce que j'entreprends est, sans équivoque, à cent pour cent pour mes filles. J'en veux pour preuve qu'une très grande partie de ce que je fais avec Sophia et Lulu est déprimant, épuisant et en aucun cas amusant pour moi. Il n'est pas facile de persuader vos enfants qu'il leur faut travailler quand ils ne le veulent pas, de leur consacrer des heures exténuantes tandis que votre propre jeunesse s'en va petit à petit, de les convaincre qu'ils sont capables d'accomplir quelque chose alors qu'ils ont (et peut-être même vous aussi) peur de ne pas y arriver. « Savez-vous combien d'années de ma vie vous m'avez prises ? » est la question que je pose constamment à mes filles. « Vous avez toutes les deux de la chance que j'aie une énorme longévité comme l'indiquent mes lobes d'oreilles épais qui portent bonheur. »

En vérité, il m'arrive de me demander si la question « Pour qui fais-tu tout ça ? » ne devrait pas être posée également aux parents occidentaux. Parfois, je me réveille le matin en redoutant la tâche qui m'attend et en pensant combien il serait facile de répondre : « Bien sûr, Lulu, on peut sauter un jour de répétition. » Contrairement à mes amis occidentaux, je ne peux jamais dire : « Même s'il m'en coûte terriblement, il faut que je laisse mes enfants libres de leurs choix et de leurs désirs. C'est la chose la plus difficile qui soit, mais je fais de mon mieux pour me retenir. » Puis ils prennent un verre de vin et vont à un cours de yoga, pendant que je reste à la maison à hurler et à me faire détester de mes enfants.

Quelques jours avant de partir pour Budapest, j'envoyai un courrier électronique à Krisztina pour lui demander si elle connaissait des professeurs de musique expérimentés, qui pourraient revoir les *Danses roumaines* avec les filles, comme une sorte de répétition générale, et peut-être leur donner des conseils sur la façon de jouer correctement un compositeur hongrois. Krisztina me répondit en apportant une bonne nouvelle. Un important professeur de violon d'Europe de l'Est, que j'appellerai Mme Kazinczy, avait généreusement accepté de voir les filles. À la retraite depuis peu, Mme Kazinczy n'enseignait désormais qu'aux violonistes les plus doués. Elle avait un seul créneau disponible — le jour de notre arrivée — et je m'en emparai.

Nous arrivâmes à Budapest la veille du concert, vers dix heures du matin — quatre heures du matin, heure de New Haven. Nous étions un peu sonnés, le regard trouble. Jed et Lulu avaient tous les deux mal à la tête. Les filles voulaient juste dormir, et moi non plus je ne me sentais pas très en forme mais, malheureusement, c'était l'heure du cours avec Mme Kazinczy. Nous avions déjà reçu deux messages, l'un de mes parents et l'autre de Krisztina, pour savoir où nous retrouver. Nous montâmes tous les quatre en chancelant dans un taxi pour arriver quelques minutes plus tard à l'Académie de musique Franz Liszt, un magnifique immeuble Art nouveau avec des colonnes majestueuses qui, sur plusieurs dizaines de mètres, fait face à la place Franz Liszt.

Mme Kazinczy nous rencontra dans une grande pièce de l'un des étages supérieurs. Mes parents et une Krisztina radieuse étaient déjà sur place, assis sur des chaises installées le long d'un des murs. Il y avait un vieux piano dans la pièce, où Krisztina fit signe à Sophia de s'installer.

Mme Kazinczy était — c'est le moins qu'on puisse dire — très nerveuse. On aurait dit qu'elle venait d'être quittée par son mari qui lui avait préféré une femme plus jeune, non sans avoir auparavant transféré tous ses actifs sur un compte à l'étranger. Elle souscrivait à l'enseignement sévère de l'école de musique russe : impatiente, exigeante et ne supportant rien qui lui semblait une erreur. « Non ! hurla-t-elle avant que Lulu n'ait joué la moindre note. Quoi ! Pourquoi toi tenir archet comme ça ? » demanda-t-elle avec incrédulité. Quand les filles commencèrent à jouer, elle arrêta Lulu toutes les deux notes, gesticulant frénétiquement dans un va-et-vient continu. Elle trouvait que le doigté qui avait été enseigné à Lulu était monstrueux et lui ordonna de le corriger alors que nous étions la veille du concert. Elle ne cessait pas non plus de se tourner vers le piano pour rabrouer Sophia, même si elle avait principalement Lulu en ligne de mire.

J'avais un mauvais pressentiment. Je voyais bien que Lulu trouvait les ordres de Mme Kazinczy déraisonnables et ses réprimandes injustes. Plus Lulu s'énervait, plus elle jouait avec raideur, et moins elle était en mesure de se concentrer. Son phrasé se dégrada, suivi de son intonation. Oh non, pensai-je, ça y est. Effectivement, un voile d'irritation venait d'apparaître sur le visage de Lulu, et soudain elle n'essaya plus du tout, n'écoutant même plus. Entretemps, Mme Kazinczy s'était mise dans tous ses états. Ses tempes se gonflaient et sa voix devenait plus stridente. Elle n'arrêtait pas de dire en hongrois des choses à Krisztina et de s'approcher de façon inquiétante de Lulu, lui parlant sous le nez, lui enfonçant son doigt dans l'épaule. Dans un moment d'exaspération, Mme Kazinczy lui frappa les doigts avec un crayon pendant qu'elle était en train de jouer.

Je vis la fureur monter en Lulu. À la maison, elle aurait explosé sur-le-champ ; mais, là, elle luttait pour se retenir, pour continuer à jouer. Mme Kazinczy brandit de nouveau son crayon. Deux minutes plus tard, en plein milieu d'un passage, Lulu dit qu'elle devait aller aux toilettes. Je me levai rapidement et sortit avec elle dans le hall où, après avoir tourné en trombe à un coin, elle se mit à pleurer de rage.

« Je ne retournerai pas là-bas, dit-elle avec férocité. Tu ne peux pas me forcer. Cette femme est folle… je la hais. Je la *hais* ! »

Je ne savais pas quoi faire. Mme Kazinczy était l'amie de Krisztina. Mes parents étaient encore dans la salle. Il restait encore une demi-heure de cours, et tout le monde attendait que Lulu revienne.

J'essayai de raisonner Lulu, en lui rappelant que Mme Kazinczy lui avait dit qu'elle était incroyablement douée, ce qui était la raison pour laquelle elle était si exigeante avec elle. (« Je m'en fiche ! ») Je reconnus que la communication n'était pas le fort de Mme Kazinczy, mais je lui dis que je pensais qu'elle était bien intentionnée et suppliai Lulu d'essayer encore une fois. (« Non ! ») En dernier recours, je grondai Lulu, lui disant qu'elle avait une obligation envers Krisztina qui s'était donné du mal pour arranger la séance, et envers mes parents qui seraient horrifiés si elle ne revenait pas. « Tu n'es pas la seule à être impliquée, Lulu. Tu dois être forte et trouver un moyen de surmonter ça. Nous devons tous encaisser beaucoup de choses, Lulu. Tu peux encaisser ça. »

Elle refusa. J'étais morte de honte. Si injustifiée qu'ait été l'attitude de Mme Kazinczy, elle restait un professeur, une figure d'autorité, et l'une des premières choses que les Chinois apprennent, c'est qu'il faut respecter l'autorité. Quoi qu'il arrive, on ne répond pas à ses parents, ni aux enseignants, ni aux aînés. Finalement, je dus retourner toute seule dans la salle, me confondant en excuses et expliquant (faussement) que Lulu était en colère après *moi*. Puis je fis faire à Sophia — qui ne raffolait pas non plus de Mme Kazinczy et qui n'était même pas violoniste — le reste de la leçon, soi-disant pour avoir des conseils sur la façon de jouer en duo.

De retour à l'hôtel, je hurlai après Lulu, puis je commençai à me disputer avec Jed. Il dit qu'il ne reprochait pas à Lulu d'être partie et que c'était probablement mieux ainsi. Il fit remarquer qu'elle venait de traverser l'épreuve de la Juilliard School, qu'elle était épuisée par le décalage horaire, et qu'elle avait pris un grand coup de la part d'une parfaite inconnue. « N'est-ce pas un peu étrange que Mme Kazinczy essaie de modifier le doigté de Lulu la veille du concert ? Je croyais qu'on n'était pas censé faire une chose pareille, dit-il. Tu devrais peut-être essayer de montrer un peu plus de compassion pour Lulu. Je sais quel est ton but, Amy. Mais si tu n'y prends pas garde, tout ça pourrait finir par se retourner contre toi. » D'un côté, je savais que Jed avait raison. Mais je ne pouvais pas y penser. Je devais rester concentrée sur le concert.

Le lendemain, j'étais très sévère avec mes deux filles tout en faisant la navette entre leurs salles de répétition à l'Académie. Malheureusement, le sentiment d'intense indignation que Lulu éprouvait envers Mme Kazinczy n'avait fait qu'augmenter pendant la nuit. Je voyais bien qu'elle ressassait mentalement l'épisode et qu'elle devenait toujours plus furieuse et distraite. Quand je lui demandais de travailler dur un passage, elle s'exclamait soudain : « Elle ne savait pas de quoi elle parlait — le doigté qu'elle proposait était ridicule ! As-tu remarqué qu'elle n'arrêtait pas de se contredire ? » Ou encore : « Je ne crois pas qu'elle comprenne Bartók du tout ; son interprétation était épouvantable — pour qui se prend-elle ? »

Quand je lui dis qu'il fallait qu'elle arrête de penser à Mme Kazinczy et de perdre du temps, Lulu répondit : « Tu ne prends jamais mon parti. Et je ne veux pas jouer ce soir. Je n'en ai plus envie. Cette bonne femme a tout gâché. Tu n'as qu'à laisser Sophia jouer toute seule. » Notre dispute dura tout l'après-midi, et je ne savais plus que faire.

Finalement, je crois que c'est Krisztina qui sauva la mise. À notre arrivée à la Vieille Académie, Krisztina se précipita vers nous, souriante et exubérante. Elle serra les filles dans ses bras avec entrain, leur donna à chacune un petit cadeau et leur dit : « Nous sommes tellement heureux que vous soyez ici. Vous êtes toutes les deux tellement ta*len*tueuses » — en accentuant la deuxième syllabe. Secouant la tête, Krisztina mentionna nonchalamment que Mme Kazinczy n'aurait pas dû essayer de changer le doigté de Lulu et qu'elle avait probablement oublié que le concert était le lendemain. « Tu es tellement ta*len*tueuse, répéta-t-elle à Lulu. Ça va être un concert merveilleux ! » Puis elle les emmena sur-le-champ — loin de moi — vers une antichambre où elle récapitula les parties du programme avec elles.

Jusqu'à la toute dernière seconde, je ne savais pas comment les choses allaient se passer — ni si j'entendrais une seule de mes filles ou bien les deux jouer ce soir-là. Mais, vaille que vaille, Lulu sortit miraculeusement tout ce qu'elle avait, et le concert finit par être un succès retentissant. Les Hongrois, peuple chaleureux et généreux, se levèrent pour acclamer les filles, les faisant saluer à trois reprises, et le directeur du musée les invita à revenir quand elles le voudraient. Par la suite, nous emmenâmes les Pogány, mes parents, et Sy et Harriet, qui nous avaient rejoints en avion juste à temps, à un dîner de fête.

Mais, après ce voyage, quelque chose avait changé. Pour Lulu, l'expérience avec Mme Kazinczy était exaspérante et scandaleuse, violant sa notion du bien et du mal. Ça la rendit revêche vis-à-vis du modèle chinois — si être chinois signifiait devoir supporter des gens comme Mme Kazinczy, alors elle ne voulait rien avoir à faire avec ça. Elle avait aussi testé ce qui se passerait si elle refusait simplement d'obtempérer aux ordres de son professeur ou de sa mère, et le ciel ne lui était pas tombé dessus. Au contraire, elle avait gagné. Même mes parents, en dépit de tout ce qu'ils m'avaient mis dans le crâne, la comprenaient.

En ce qui me concerne, je sentais que quelque chose

s'était détaché, comme lorsqu'une ancre est levée. J'avais perdu un certain contrôle sur Lulu. Aucune fille chinoise ne se comporterait jamais comme elle l'avait fait. Aucune mère chinoise n'aurait jamais laissé une chose pareille se produire.

TROISIÈME PARTIE

Les Tigres sont capables d'aimer très fort, mais ils deviennent trop passionnés en amour. Ils ont aussi un comportement territorial et possessif. La solitude est souvent le prix que paient les Tigres pour leur position d'autorité.

23

POUCHKINE

Mes deux magnifiques chiens des neiges.

« Lequel est le nôtre ? » demanda Jed.

C'était en août 2008. Jed et moi nous trouvions dans le Rhode Island. Pour des raisons qui échappaient à tout le monde, y compris à moi-même, j'avais insisté pour que nous ayons un deuxième chien, et nous étions retournés chez l'éleveur où nous avions trouvé Coco. Trois grands samoyèdes majestueux arpentaient une pièce rustique avec du parquet. Deux d'entre eux, avons-nous appris, étaient les fiers parents de la nouvelle portée ; le troisième était le grand-père, expérimenté et magistral à l'âge vénérable de six ans. Autour des grands chiens gambadaient quatre chiots turbulents, chacun ressemblant à une adorable boule de coton glapissante.

« Le vôtre est celui qui est là-bas, dit l'éleveuse, sous l'escalier. »

En nous retournant, Jed et moi avons vu, dans une autre partie de la pièce, solitaire, quelque chose qui avait l'air bien différent des autres chiots. La créature était plus grande, plus maigre, moins touffue — et moins mignonne. Ses pattes de derrière étaient cinq centimètres plus longues que celles de devant, ce qui lui donnait une inclinaison maladroite. Ses yeux étaient très étroits et très bridés ; ses oreilles étrangement protubérantes. Sa queue était plus longue et plus touffue que celle des autres mais, au lieu de s'enrouler en l'air — peut-être parce qu'elle était trop lourde —, elle se balançait d'un côté à l'autre comme celle d'un rat.

« Vous êtes sûre que c'est un chien, ça ? » demandai-je d'un ton dubitatif. La question n'était pas aussi ridicule qu'elle en a l'air. La créature ressemblait plutôt à un agneau et, dans la mesure où l'élevage comptait des animaux de ferme parmi ses pensionnaires, l'un d'entre eux aurait pu s'égarer dans la maison.

Mais l'éleveuse en était certaine, et elle nous dit en nous faisant un clin d'œil : « Vous verrez, elle sera d'une grande beauté. Elle a un bel arrière-train samoyède bien haut, tout comme sa grand-mère. »

On ramena à la maison notre nouveau chiot, que l'on nomma Pouchkine — dont le diminutif est « Push » — bien que ce fût une femelle. Lorsque la famille et les amis la rencontrèrent pour la première fois, ils furent désolés pour nous. Quand elle était petite, Push sautait comme un lapin et trébuchait sur ses propres pattes. « Pouvez-vous la rendre ? » demanda ma mère, tandis qu'elle regardait Push se cogner contre les murs et les chaises. Jed eut soudain une illumination : « Je sais où est le problème. Elle est aveugle. » Et il l'emmena à toute vitesse chez le véto, qui conclut que Push voyait tout à fait bien.

Push grandissait, mais restait maladroite et trébuchait souvent en descendant les escaliers. Son tronc était tellement long qu'elle semblait ne pas contrôler totalement la moitié arrière de son corps, de sorte qu'elle ondulait comme un ressort. Elle était cependant étrangement souple ; encore aujourd'hui, elle aime dormir en plaquant son ventre sur un sol froid avec les quatre pattes tournées en dehors. On dirait que quelqu'un l'a laissée tomber du ciel et qu'elle a éclaté par terre comme une goutte d'eau — d'ailleurs, nous l'appelons « Splash » quand nous la voyons dans cette position.

L'éleveuse avait raison sur une chose : Push était un vilain petit canard. En un an, elle s'était transformée en une chienne d'une magnificence à vous couper le souffle, à tel point que, lorsque nous allions nous promener, il n'était pas rare que les voitures stoppent brusquement pour que leurs passagers puissent l'admirer. Elle était plus grande que Coco (qui, en raison des bizarreries de l'élevage, était en fait la petite-nièce de Push) et avait une fourrure blanche comme neige et d'exotiques yeux de chat. Quelques muscles dormants s'étaient clairement développés, car sa queue s'enroulait maintenant très haut au-dessus de son dos comme une énorme plume luxuriante.

Mais quant au talent, Push restait fermement dans le décile le plus bas. Coco n'était pas particulièrement impressionnante mais, comparée à Push, c'était un génie. Pour une raison ou pour une autre, Push — quoique plus douce et gentille que Coco — était incapable d'accomplir ce qu'on attend normalement d'un chien. Elle ne rapportait pas les objets et n'aimait pas courir. Elle n'arrêtait pas de se coincer en de curieux endroits — sous l'évier, dans les buissons à baies, pliée en deux par-dessus le rebord de la baignoire — et d'avoir besoin qu'on l'en extirpe. Au début, je niais qu'il y eût quoi que ce soit de différent chez Pouchkine, et je passais des heures à essayer de l'éduquer, mais toujours en vain. Assez curieusement, Push semblait adorer la musique. Son activité favorite consistait à s'asseoir près du piano et à accompagner Sophia en chantant (ou, selon Jed, en hurlant).

Malgré ses défauts, nous l'adorions tous les quatre autant que Coco. En fait, c'étaient ses défaillances qui rendaient Push si attachante. « Oooh, la pauvre ! Qu'elle est mignonne ! » nous exclamions-nous avec tendresse lorsque, essayant de sauter sur quelque chose, elle manquait son but de trente centimètres et que nous nous précipitions pour la consoler. Ou bien nous disions : « Oooh, regardez-moi ça. Elle ne voit pas le frisbee ! Elle est tellement a-do-rable. » Au départ, Coco se méfiait de sa nouvelle frangine ; nous la voyions tester Push avec suspicion. Cette dernière, en revanche, avait une gamme d'émotions plus limitée ; la prudence et la méfiance n'en faisaient pas partie. Elle se contentait de suivre Coco gentiment, en évitant tous les mouvements qui exigeaient de l'agilité.

Si douce que soit Push, ça n'avait absolument pas de sens que notre famille ait un second chien, et personne ne le savait mieux que moi. La répartition de la responsabilité des chiens dans notre maison était la suivante : 90 % pour moi, 10 % pour les trois autres. Tous les jours, dès six heures du matin, c'était moi qui les nourrissais, les faisais courir et nettoyais derrière elles ; je les emmenais aussi à tous leurs rendez-vous, au toilettage ou chez le véto. Pour aggraver les choses, mon deuxième livre venait d'être publié et, en plus d'assurer un service complet d'enseignement et de superviser les répétitions des filles, je n'arrêtais pas de prendre l'avion pour donner des conférences un peu partout dans le pays. Je trouvais toujours le moyen de condenser des voyages à Washington, Chicago ou Miami en une seule journée. Plus d'une fois, je me levai à trois heures du matin pour attraper un vol vers la Californie, où je donnais une conférence à l'heure du déjeuner, avant de m'en retourner de nuit à la maison. « Mais qu'est-ce que tu t'imaginais ? me demandaient des amis. Déjà que tu ne sais plus où donner de la tête, pourquoi diable prendre un deuxième chien ? »

Mon amie Anne avança une explication classique. « Tous mes proches, dit-elle, prennent des chiens dès que leurs enfants deviennent adolescents. Ils se préparent pour le moment où le nid sera vide. Les chiens remplacent les enfants. »

C'est drôle qu'Anne dise cela, parce que l'éducation à la chinoise n'a rien à voir avec le dressage des chiens. À dire vrai, c'est plutôt le contraire. Pour commencer, le dressage des chiens est une activité sociale. Quand on rencontre d'autres propriétaires de chiens, on a beaucoup de choses à se raconter. En revanche, l'éducation à la chinoise est une activité incroyablement solitaire — du moins si l'on s'y risque en Occident, où l'on se retrouve tout seul. Il faut aller à l'encontre de tout un système de valeurs — enraciné dans les Lumières, l'autonomie individuelle, la théorie du développement de l'enfant, et la Déclaration universelle des droits de l'homme — et il n'y a personne avec qui vous pouvez parler franchement, pas même des gens que vous aimez et respectez profondément.

Par exemple, quand Sophia et Lulu étaient petites, ce que je redoutais le plus, c'était que d'autres parents invitent l'une d'elles à une « journée de jeux ». Pourquoi, pourquoi, mais pourquoi cette terrible institution occidentale ? J'ai tenté un jour d'expliquer à une autre mère que Lulu n'avait pas de temps libre parce qu'elle devait s'exercer au violon. Mais elle ne pouvait pas avaler ça. Je devais recourir aux excuses que les Occidentaux trouvent valables : rendez-vous chez l'ophtalmo, kinésithérapie, bénévolat. Au bout d'un moment, l'autre maman sembla se vexer et commença à me traiter de façon glaciale, comme si je considérais que Lulu était trop bien pour sa fille. C'étaient véritablement deux visions du monde qui s'entrechoquaient. Je n'arrivais pas à y croire : à peine avais-je repoussé une invitation à une journée de jeux qu'une autre suivait immédiatement. « Que dites-vous de samedi ? (le samedi était la veille de la leçon de Lulu avec Mlle Tanaka à New York) — ou vendredi en quinze ? » Les mères occidentales n'arrivaient tout simplement pas à comprendre que Lulu puisse être occupée tous les après-midi, pendant toute l'année.

Il y a une autre différence énorme entre le dressage des chiens et l'éducation des enfants à la chinoise. Dresser les chiens est facile. Ça requiert de la patience, de l'amour et, si possible, d'y consacrer un peu de temps au début. En revanche, l'éducation des enfants à la chinoise est l'une des choses les plus difficiles qui me vienne à l'esprit. Vous devez parfois vous faire détester par quelqu'un que vous aimez et qui, espérons-le, vous aime, et il n'y a aucun moment de répit, aucun moment où ça devient soudain facile. C'est exactement le contraire : éduquer les enfants à la chinoise — du moins si vous essayez de le faire en Amérique, où vous n'avez pratiquement aucune chance d'y arriver — est une tâche pénible et interminable, qui exige un engagement vingt-quatre heures sur vingt-quatre, sept jours sur sept, et requiert de la résistance et de la ruse. Vous devez être capable de ravaler votre fierté et de changer de tactique à tout moment. Et vous devez savoir faire preuve d'imagination.

L'an dernier, par exemple, je recevais des étudiants à la maison pour une fête de fin de semestre — ce que j'adore. « Tu es tellement gentille avec tes étudiants, disent toujours Sophia et Lulu. Ils ne savent pas du tout comment tu es réellement. Ils te voient tous comme quelqu'un qui *encourage* et qui *soutient.* » Sur ce point, les filles ont raison. Mon comportement à l'égard de mes étudiants en droit (surtout ceux qui ont des parents asiatiques sévères) se situe à l'exact opposé de ma façon de traiter mes enfants.

À cette occasion, la fête avait lieu au deuxième étage, dans notre salle de ping-pong, qui était aussi l'endroit où Lulu s'exerçait au violon. L'un de mes étudiants, qui s'appelait Ronan, trouva quelques notes de répétition que j'avais laissées pour Lulu.

« Mais qu'est-ce que c'est que ça ? dit-il en lisant les notes avec incrédulité. Madame Chua, est-ce vous qui… est-ce vous qui avez *écrit ça* ?

— Ronan, pose ça, s'il te plaît. Et en effet, c'est bien moi qui ai écrit ça, admis-je fermement, ne voyant pas d'alternative. Je laisse des instructions de ce genre tous les jours à ma fille violoniste, pour l'aider à répéter quand je ne suis pas là. »

Mais Ronan ne semblait pas écouter. « Oh, mon Dieu, il y en a d'autres », dit-il, perplexe. Et il avait raison. Des dizaines de feuilles d'instruction traînaient, certaines tapées, d'autres écrites à la main, que j'avais oublié de cacher. « Je n'arrive pas à y croire. Ces notes sont tellement… *bizarres.* »

Je ne les trouvais pas bizarres. Mais vous pouvez en juger par vous-même. Voici trois exemples inédits des notes de répétition quotidienne que j'écrivais pour Lulu. Ne faites pas attention aux titres cinglés ; je les inventais pour attirer l'attention de Lulu. À propos, dans la deuxième note, le « m. » signifie « mesure » — alors, effectivement, je donne des instructions mesure par mesure.

CHOW CHOW LEBOEUF

Première Installation

Seulement 55 minutes !!

BONJOUR LULU !!! Tu te débrouilles super bien. Léger !! Léger !!!! LÉGER !!!

Mission APOLLO : Garder le violon dans la position qui lui permet de rester debout tout seul senza les mains, même là où c'est dur.

15 minutes : GAMMES. Doigts hauts, légers. Archet sonore et LÉGER.

15 minutes : Schradieck : 1) Doigts plus hauts, plus légers. 2) Position de la main, pour que le petit doigt soit toujours debout et au-dessus. Joue-le en entier avec le métronome une fois. Ensuite EXERCE-TOI sur les passages difficiles, 25 x chacun. Ensuite tu le rejoues en entier encore une fois.

15 minutes : octaves Kreutzer. Choisis-en UNE nouvelle. Joue d'abord lentement — INTONATION — 2 x.

DÉFI DU JOUR :

10 minutes : *Kreutzer* n° 32. Travaille-le TOUTE SEULE avec un métronome. LENTEMENT. Archets légers. Si tu en es capable, tu assures.

LOS BOBOS DI MCNAMARA — *CONCERTO* DE BRUCH

OBJECTIFS : 1) GARDE HAUT TON VIOLON ! Surtout pendant les accords ! 2) ***articulation*** — concentre-toi sur les « petites » notes qu'il faut jouer de façon claire et vive — utilise des doigts plus rapides et plus légers (qui se tiennent plus droit) 3) donner de la forme aux passages ; dynamique — commence avec archet lent et accélère

EXERCICES

PAGE 7

Mesures d'ouverture : mm. 18 & 19 :

(a) Utilise ½ pression de l'archet & archet plus rapide sur accords. Coude plus bas. ***Le violon ne doit pas bouger !***

(b) Travaille les petites notes (da da doum) pour les rendre claires — laisse tomber les doigts plus vite et relâche-les plus vite

m. 21 : (a) triolets sur la corde — 25 x chacun !

(b) fais 8es notes plus claires — exerce-toi ! DÉTENDS les doigts après avoir tapé

mm 23-26 : à nouveau, ½ pression de l'archet sur accords et doigts plus clairs et plus rapides sur notes courtes

mm 27-30 : IMPORTANT : Cette ligne est trop lourde, et ton violon tombe ! Accord super léger. Articulation plus claire. ENCORE PLUS la deuxième fois.

m. 32 : Laisse tomber les doigts de plus haut et relâche-les plus vite. Ne bouge pas le violon ni la tête pendant la roulade.

m. 33 : Archet plus rapide, plus léger ! Décris un cercle (haut !) !

PAGE 8
m. 40 : Cet accord est beaucoup trop lourd ! ½ pression de l'archet et violon haut ! Articule les notes courtes.
m. 44 : Cet accord devrait encore être léger, même si plus sonore — utilise un archet plus rapide !
mm 44-45 — main souple, poignet souple
mm 48-49 — donne plus d'entrain ici ! Doigts plus rapides, plus légers ! Maintiens-les haut mais relâche-les !
m. 52 — articulation !
mm. 54-58 — chacune devrait avoir PLUS DE LONGUEUR D'ARCHET ! Plus excitant — monte !
m. 78 — doigts plus hauts ! Ne pousse pas — maintiens doigts légers !
m. 82 — vraiment crescendo, commence lentement et puis plus vite avec l'archet ! Puis passe à plus doux et crescendo énorme ! La PREMIÈRE roulade c'est ***TAYLOR SWIFT !*** La DEUXIÈME roulade c'est ***LADY GAGA !!*** La TROISIÈME roulade c'est ***BEYONCE !!***
m. 87 — plus de direction, suis la phrase (plus fort quand ça monte, plus doux quand ça descend)
PAGE 9 :
mm. 115-116 — commence avec moins d'archet, mais beaucoup d'archet sur le *la* haut. Direction !
m. 131 joue doucement !
mm. 136-145 — il faut que tu FORMES vraiment celle-là (plus fort et plus d'archet à la MONTÉE, plus doux en descente) Travaille les notes fausses, 50 x chacune
mm. 146-159 tranquillo mais BONNE articulation
mm. 156-158 — continue à aller crescendo
m. 160-161 — articulation
PAGE 10
m. 180 : Répète l'ouverture. Direction ! Commence avec archet plus lent, puis accélère, surtout sur le *si* haut !

m. 181-183 : travaille articulation claire — doigts rapides et légers !
m. 185 : ½ vitesse d'archet sur accords — plus léger ! Petites notes plus claires (da-da-doum) — doigt plus rapide
m. 193-195 — RÉPÈTE les passages de cordes — position exacte ! 50 x
m. 194 : Commence pas trop puis vraiment crescendo !
m. 200 — mémorise les notes correctes — répète 30 x
m. 202 — travaille les accords — position exacte de la main — intonation !
m. 204 utilise main très douce et poignet relâché !

UN CHOIX QUI DÉCOIFFE — SALUT L'AVENTURIÈRE, EN AVANT LA MUSIQUE !

Mendelssohn !

Mouvement perpétuel
Page 2
Ouverture :
- En crescendo, l'énergie monte !
- Aussi, ça monte 3 fois, joue-les différemment — peut-être MOINS sur dernière note
- Dernière mesure de ligne 2 a une HARMONIE DIFFÉRENTE — alors fais-la ressortir

Ligne 3 : Fais ressortir les notes mélodiques, moins sur les notes répétées. Puis « en descente »
Ligne 4 : Assure-toi de jouer les notes importantes avec BEAUCOUP PLUS DE LONGUEUR D'ARCHET
Ligne 5 : fais ressortir les notes BIZARRES

Ligne 6 : Tellement de *la* ! Pas intéressant — alors joue-les plus doucement et fais ressortir les AUTRES notes.

Ligne 7 : énorme et très longue gamme de 2 octaves — commence LENTEMENT et fais un énorme crescendo !!

Page 3

Ligne 5 : Au *fa*, utilise presque tout l'archet — rends-le excitant ! — puis diminuendo jusqu'à être minuscule

Ligne 6-7 : Suis le modèle — moins, puis soudain EXPLOSION au *fa* !

Ligne 8-9 : même chose — doucement et puis soudaine EXPLOSION au *fa* !

Ligne 10 : fais ressortir les 2 notes DU HAUT, notes du bas moins importantes

Mendelssohn

Ouverture :

Andante — un peu plus rapide

Joue ça beaucoup plus relâché, intime, comme si tu étais TOUTE SEULE AVEC DES CHIENS EN TRAIN DE DORMIR

Même chose se produit 2 x, puis FAIS RESSORTIR la 3e fois — ouvre un peu !

Ligne 4 : Maintenant, un peu plus inquiet, tendu. PEUT-ÊTRE QU'UN DES CHIENS ENDORMIS SEMBLE MALADE ?

Ligne 5 : BEAUCOUP PLUS D'ÉNERGIE SUR LA PLUS HAUTE note ! Puis progressivement retourne à la même énergie basse, plus douce et détendue comme au début

PASSAGE DU MILIEU :

Caractère 100 % différent — EFFRAYANT !

Utilise ARCHET TRÈS RAPIDE ! Beaucoup plus d'énergie ! TOUT l'archet à certains endroits.

Change vitesse d'archet !!

> 3 dernières lignes, monte petit à petit Alors commence avec moins d'archet — et AUGMENTE de 4 centimètres à chaque fois.
> Ligne -2. P, puis forte ! Fais ressortir le caractère nerveux !
> Page 11, ligne 1 : Plus intense ! Crescendo jusqu'au point le plus haut !!

J'en ai des centaines, peut-être des milliers comme ça. Elles ont une longue histoire. Même quand les filles étaient petites, à cause de ma tendance à être trop sévère quand j'étais là en personne, je leur laissais des petits mots un peu partout — sur leurs oreillers, dans leurs boîtes à sandwichs, sur leurs partitions de musique — qui disaient des choses du style « Maman a mauvais caractère, mais maman vous aime ! » Ou encore : « Vous faites la fierté et la joie de maman ! »

Avec les chiens, vous n'avez pas besoin de faire quoi que ce soit de ce genre. Et si vous le faisiez, ils ne comprendraient probablement pas, de toute façon, surtout pas Pouchkine.

Mes chiennes ne peuvent pas tout faire — et quel soulagement ! Je n'exige rien d'elles, et je n'essaie pas de les former ou de préparer leur avenir. En général, je leur fais confiance pour prendre les bonnes décisions pour elles-mêmes. J'ai toujours hâte de les voir, et j'aime simplement les regarder dormir. Quelle formidable relation !

24

RÉBELLION

Lulu, à l'âge de treize ans.

Le cercle vertueux chinois ne fonctionna pas avec Lulu. Et je n'arrivais vraiment pas à comprendre pourquoi. Tout semblait se passer exactement comme prévu. Au prix d'efforts considérables — mais j'étais prête à tous les sacrifices — Lulu réussissait tout ce que j'avais toujours rêvé pour elle. Après des mois de préparation exténuante, sans compter les disputes habituelles, les menaces, les cris et hurlements à la maison, Lulu auditionna et remporta la place de premier violon d'un prestigieux orchestre de jeunes, alors que, n'ayant que douze ans, elle était bien plus jeune que la plupart des autres musiciens. Elle reçut un prix « prodige » du Connecticut et on parla d'elle dans les journaux. Elle n'obtenait que les meilleures notes et remporta les premiers prix de récitation en français et en latin de son collège. Mais au lieu que son succès génère de l'assurance, de la gratitude envers ses parents et un désir de travailler plus dur, c'est le contraire qui se produisit. Lulu commença à se rebeller : pas juste contre les répétitions de musique, mais contre tout ce que j'avais toujours promu.

Rétrospectivement, je crois que les choses commencèrent à changer quand Lulu avait onze ou douze ans — sans que je m'en aperçoive. L'une des choses que Lulu détestait par-dessus tout, c'était mon insistance à la faire sortir de l'école pour ajouter des répétitions supplémentaires de violon. J'estimais qu'ils perdaient beaucoup de temps à l'école de Lulu, si bien que, plusieurs fois par semaine, j'écrivais un mot à son professeur pour expliquer qu'elle avait bientôt un récital ou une audition, et pour demander la permission qu'elle quitte l'école pendant l'heure du déjeuner ou le cours de gym. Parfois, j'étais capable de concocter un bloc de deux heures en combinant le déjeuner, deux récréations et, disons, le cours de musique, au cours duquel les enfants jouaient avec des cloches, ou le cours de dessin, qu'ils passaient à décorer des baraques pour la fête d'Halloween. Je me rendais compte que Lulu répugnait à me voir chaque fois que je faisais mon apparition à l'école, et que ses camarades de classe me regardaient toujours bizarrement, mais elle n'avait alors que onze ans et je pouvais encore lui imposer ma volonté. Et je suis sûre que c'est grâce aux répétitions supplémentaires que Lulu remporta toutes ces récompenses musicales.

Ce n'était pas facile de mon côté non plus. Il m'arrivait d'être en train de recevoir mes étudiants et de devoir soudain m'excuser pour une « réunion ». Je fonçais pour aller chercher Lulu à l'école, filais la déposer à l'appartement de Kiwon, puis retournais à toute vitesse à mon bureau où une file d'étudiants m'attendait. Une demi-heure plus tard, je devais de nouveau m'excuser : il fallait ramener Lulu à l'école, puis c'est en faisant crisser mes pneus que je retournais à mon bureau pour trois heures de réunions. Si j'emmenais Lulu chez Kiwon plutôt que de superviser moi-même ses répétitions, c'était parce que je ne pensais pas qu'elle résisterait à Kiwon, et encore moins qu'elle se disputerait avec elle. Après tout, Kiwon n'était pas de la famille.

Un après-midi, seulement un quart d'heure après avoir déposé Lulu, je reçus un appel de Kiwon qui semblait énervée et agacée. « Lulu ne veut pas jouer, me dit-elle. Vous feriez peut-être mieux de venir la chercher. » Quand j'arrivai là-bas, je me confondis en excuses devant Kiwon, marmonnant quelque chose sur le fait que Lulu était fatiguée parce qu'elle n'avait pas assez dormi. Mais il s'avéra que Lulu n'avait pas seulement refusé de jouer : elle s'était montrée impolie envers Kiwon, lui répondant avec impertinence, défiant ses conseils. J'étais morte de honte et je punis sévèrement Lulu à la maison.

Puis les choses empirèrent. Chaque fois que j'allais chercher Lulu à l'école, son visage s'assombrissait, elle me tournait le dos et disait qu'elle ne voulait pas partir. Lorsque nous arrivions finalement devant chez Kiwon, elle refusait parfois de sortir de la voiture, et si je réussissais d'une façon ou d'une autre à la faire monter jusqu'à l'appartement — il ne restait parfois que vingt minutes pour la leçon —, soit elle refusait de jouer, soit elle faisait exprès de mal jouer, avec des notes fausses et dénuées d'émotion. Elle provoquait aussi Kiwon délibérément, la rendant progressivement furieuse, puis lui demandant de façon exaspérante : « Qu'est-ce qui ne va pas ? Tu te sens bien ? »

Une fois, en passant, Kiwon laissa échapper qu'après avoir été témoin d'une séance de répétition, son petit ami, Aaron, avait dit : « Si j'avais une fille, je ne lui permettrais jamais de se comporter comme ça — de manquer autant de respect. »

C'était une gifle. Aaron, qui avait toujours adoré Lulu, était accommodant comme pas un. Il avait grandi dans une famille occidentale des plus libérales et des plus indulgentes, où les enfants ne s'attiraient pas d'ennuis s'ils sautaient l'école et faisaient à peu près tout ce qu'ils voulaient. Et pourtant, il critiquait ma façon d'éduquer, désapprouvait l'attitude de ma fille — et il avait parfaitement raison.

À peu près au même moment, Lulu commença à me répondre insolemment et à me désobéir ouvertement devant mes parents lorsqu'ils nous rendaient visite. Ça ne semblera peut-être pas si grave aux yeux des Occidentaux mais, dans notre famille, c'était comme profaner un temple. En fait, ça relevait tellement du domaine de l'inacceptable que personne ne savait quoi faire. Mon père me prit à part et, en privé, me recommanda vivement de laisser Lulu abandonner le violon. Ma mère, qui était proche de Lulu (elles correspondaient beaucoup par courriers électroniques), me dit carrément : « Il faut que tu arrêtes de t'entêter à ce point, Amy. Tu es trop stricte avec Lulu, trop excessive. Tu vas finir par le regretter.

— Pourquoi t'en prends-tu à moi maintenant ? ripostai-je. C'est comme ça que tu m'as élevée.

— Tu ne peux pas faire ce que papa et moi avons fait, répondit ma mère. Les choses ne sont plus les mêmes maintenant. Lulu n'est pas toi, et elle n'est pas Sophia. Elle a une personnalité différente, et tu ne peux pas la forcer.

— Je m'en tiens au modèle chinois, dis-je. Ça marche mieux. Peu m'importe si personne ne me soutient. Tes amis occidentaux t'ont fait un lavage de cerveau. »

Ma mère secoua simplement la tête. « Je te le répète, je suis inquiète pour Lulu, dit-elle. On voit dans ses yeux que quelque chose ne va pas. » Ça me blessa plus que tout.

Au lieu d'un cercle vertueux, nous étions dans une spirale vicieuse qui descendait en vrille. Après avoir fêté ses treize ans, Lulu continuait de se détacher de moi et de m'en vouloir toujours plus. Elle avait constamment l'air apathique, et les mots qui sortaient de sa bouche étaient une fois sur deux « Non » ou « Je m'en fiche ». Elle rejetait ma vision d'une vie précieuse. « Pourquoi est-ce que je ne peux pas aller traîner avec mes amis comme tout le monde ? demandait-elle. Pourquoi es-tu tellement contre les centres commerciaux ? Pourquoi est-ce que je ne peux pas aller dormir chez des amis ? Pourquoi est-ce que chaque seconde de ma journée doit être passée à travailler ?

— Tu es premier violon, Lulu, répondais-je. C'est un grand honneur qu'ils t'ont fait, et tu as une énorme responsabilité. Tout l'orchestre compte sur toi. »

Lulu répondait : « Pourquoi suis-je née dans cette famille ? »

Ce qu'il y avait de curieux, c'était qu'en réalité Lulu adorait l'orchestre. Elle avait beaucoup d'amis, aimait être premier violon, et le courant passait très bien avec le chef d'orchestre, M. Brooks. Je la voyais plaisanter et rire avec entrain quand j'allais la chercher aux répétitions — peut-être parce que les répétitions étaient du temps passé loin de moi.

Parallèlement, les désaccords grandissaient entre Jed et moi. En privé, il me disait sur un ton furieux de faire preuve de retenue ou d'arrêter de généraliser à outrance et de façon absurde sur les « Occidentaux » et les « Chinois ». « Je sais que tu crois rendre un immense service aux gens en les critiquant afin qu'ils puissent s'améliorer, disait-il, mais as-tu jamais considéré qu'ils peuvent se sentir mal en t'entendant ? » Sa plus grosse critique était la suivante : « Pourquoi tiens-tu tout le temps à dire des choses tellement élogieuses sur Sophia devant sa sœur ? Lulu se sent comment, d'après toi ? Tu ne vois donc pas ce qui est en train de se passer ?

— Je refuse de priver injustement Sophia des éloges qu'elle mérite uniquement pour "protéger les sentiments de Lulu", répondais-je, en essayant d'insuffler autant de sarcasme que possible dans ces derniers mots. C'est comme ça que Lulu sait que je la crois tout aussi capable que Sophia. Elle n'a pas besoin de la discrimination positive. »

Mais, à part quelques interventions occasionnelles pour désamorcer les accès de colère, Jed prenait toujours mon parti devant les filles. Depuis le début, nous avions une stratégie de front uni et, malgré ses appréhensions, Jed ne rebroussa pas chemin. Il fit plutôt de son mieux pour préserver l'équilibre familial, organisant des excursions à vélo en famille, apprenant aux filles à jouer au poker et au billard, leur lisant de la science-fiction, du Shakespeare et du Dickens.

Et puis Lulu fit une autre chose inimaginable : elle rendit publique son insurrection. Comme elle le savait fort bien, l'éducation à la chinoise en Occident est une pratique qui, par nature, ne s'avoue pas. Si les autres parents viennent à savoir que vous poussez vos enfants contre leur gré, ou que vous voulez qu'ils réussissent mieux que les autres enfants, ou bien (pire encore !) que vous leur interdisez d'aller dormir chez les amis, alors ils vous accablent d'opprobre et vos enfants en paient le prix. En conséquence, les parents immigrés apprennent à dissimuler. Ils apprennent à avoir l'air jovial en public, à complimenter leurs enfants et à dire des choses du style : « Tu as vraiment essayé, mon grand ! » et « Il faut avoir l'esprit d'équipe ! » Personne ne veut être un paria.

C'est pourquoi la manœuvre de Lulu était si intelligente. Elle se disputait bruyamment avec moi dans la rue, au restaurant ou dans les magasins, et des inconnus tournaient la tête pour nous dévisager quand ils l'entendaient dire des choses comme : « Laisse-moi tranquille ! Je ne t'aime pas. Va-t'en ! » Quand des amis venaient dîner à la maison et lui demandaient comment ça allait avec le violon, elle répondait : « Oh, je dois répéter tout le temps. Ma mère m'y oblige. Je n'ai pas le choix. » Un jour, elle hurla tellement fort dans un parking — j'avais dit quelque chose qui l'avait rendue furieuse et elle refusait de sortir de la voiture — qu'elle attira l'attention d'un policier qui vint jusqu'à nous pour voir « ce qui n'allait pas ».

Curieusement, l'école demeura un bastion inviolable — c'est tout ce que me laissa Lulu. Lorsque les enfants occidentaux se rebellent, d'habitude leurs résultats scolaires en pâtissent, et il arrive même qu'ils soient renvoyés. En revanche, en tant que rebelle à moitié chinoise, Lulu continua d'obtenir les notes les plus élevées, à être appréciée par tous ses professeurs, qui la décrivaient sans cesse dans les bulletins scolaires comme généreuse, gentille et obligeante avec les autres élèves. « C'est un vrai plaisir d'avoir Lulu pour élève, écrivit l'un de ses enseignants. Elle fait preuve de perspicacité et de compassion, et tous ses camarades l'adorent. »

Mais Lulu voyait les choses différemment. « Je n'ai pas d'amis. Personne ne m'aime, déclara-t-elle un jour.

— Lulu, pourquoi dis-tu cela ? demandai-je avec inquiétude. Tout le monde t'aime. Tu es tellement drôle et jolie.

— Je suis moche, répliqua Lulu. Et tu n'y connais rien. Comment est-ce que je peux avoir des amis ? Tu ne me laisses aucune liberté, je ne peux aller nulle part, et c'est entièrement ta faute. Tu n'es pas normale. »

Lulu refusait de promener les chiens ou de sortir les poubelles. C'était une injustice évidente que Sophia prenne sa part des tâches ménagères et pas Lulu. Mais comment peut-on forcer physiquement une personne d'un mètre cinquante à accomplir quelque chose contre sa volonté ? Ce problème n'est pas censé se poser dans les familles chinoises, et je n'avais aucune solution. Alors je fis la seule chose que je savais faire : je combattis le feu par le feu. Je ne cédai pas un seul pouce. Je la traitais de honte de la famille, ce à quoi Lulu répondait : « Je sais, je sais. Tu me l'as déjà dit. » Je lui répétais qu'elle mangeait trop. (« Arrête de dire ça. Tu es malade. ») Je la comparais à Amy Jiang, Amy Wang, Amy Liu et Harvard Wong — tous issus de la première génération d'enfants asiatiques — dont aucun n'avait jamais répondu insolemment à ses parents. Je lui demandais où je m'y étais mal prise. N'avais-je pas été assez sévère ? Lui avais-je trop donné ? L'avais-je autorisée à fréquenter des jeunes qui ont une mauvaise influence ? (« Je te défends d'insulter mes amis. ») Je lui dis que je songeais à adopter une enfant originaire de Chine, une enfant qui s'exercerait quand je le lui dirais et qui jouerait peut-être même du violoncelle, en plus du violon et du piano.

« Quand tu auras dix-huit ans, lui criais-je, tandis qu'elle s'éloignait de moi en montant les escaliers d'un air digne, tu pourras faire toutes les erreurs que tu voudras. Mais d'ici là, je ne te lâcherai pas.

— Je *veux* que tu me lâches ! » me hurla-t-elle en retour plus d'une fois.

Quand il s'agissait d'endurance, Lulu et moi étions de force égale. Mais j'avais un avantage : j'étais le parent. J'avais les clés de la voiture, le compte en banque, le droit de ne pas signer les autorisations de sortie. Et tout cela était conforme à la loi américaine.

« J'ai besoin d'aller chez le coiffeur », dit Lulu un jour.

Ce à quoi je répondis : « Après m'avoir parlé si grossièrement et avoir refusé de jouer Mendelssohn avec musicalité, tu t'attends à ce que je monte dans la voiture sur-le-champ pour te conduire où bon te semble ?

— Pourquoi faut-il toujours que je négocie ? » demanda Lulu avec amertume.

Ce soir-là, nous avions eu de nouveau une grosse dispute, et Lulu s'enferma dans sa chambre. Elle refusait de sortir et ne répondait pas quand j'essayais de lui parler à travers la porte. Beaucoup plus tard, de mon bureau, j'entendis le clic de la serrure qui ouvrait sa porte. J'allai la voir et la trouvai assise calmement sur son lit.

« Je crois que je vais aller me coucher maintenant, dit-elle d'une voix normale. J'ai fini mes devoirs. »

Mais je ne l'écoutais pas. Je la dévisageais.

Lulu avait pris une paire de ciseaux et s'était coupé les cheveux. Sur un côté, ils tombaient de façon inégale jusqu'à hauteur du menton, tandis que, sur l'autre, ils étaient coupés au-dessus de l'oreille en une affreuse ligne irrégulière.

Mon sang ne fit qu'un tour. J'allais presque exploser et lui crier dessus, mais quelque chose — je crois que c'était la peur — me fit tenir ma langue.

Un instant passa.

« Lulu…, commençai-je.

— J'aime bien les cheveux courts », m'interrompit-elle.

Je détournai le regard. Je ne supportais pas de la regarder. Lulu avait toujours eu des cheveux que tout le monde lui enviait : ondulés, d'un brun presque noir — une spécialité sino-juive. J'étais partagée entre l'envie de hurler après Lulu comme une hystérique et de lui jeter quelque chose à la figure, et l'envie de l'enlacer et de pleurer sans pouvoir m'arrêter.

Au lieu de cela, je prononçai calmement : « Je prendrai rendez-vous auprès d'un salon de coiffure demain matin à la première heure. On trouvera quelqu'un pour arranger ça.

— D'accord », fit-elle en haussant les épaules.

Plus tard, Jed me dit : « Il faut que quelque chose change, Amy. Nous avons un sérieux problème. »

Pour la deuxième fois ce soir-là, j'avais envie de pleurer sans pouvoir m'arrêter. Mais au lieu de cela, je levai les yeux au ciel : « Ce n'est pas si grave, Jed, lui dis-je. Ne crée pas de problème là où il n'y en a pas. Je peux gérer ça. »

25

L'HORIZON S'OBSCURCIT

Ma petite sœur Katrin et moi, au début des années quatre-vingt.

Quand j'étais enfant, l'une de mes activités préférées était de jouer avec ma petite sœur, Katrin, qui est troisième de la fratrie. Peut-être parce qu'elle avait sept ans de moins que moi, il n'y avait pas de rivalité ni de conflit entre nous. C'était aussi une petite fille outrageusement mignonne. Avec ses yeux noirs brillants, ses cheveux lumineux coupés au bol, et ses lèvres comme un bouton de rose, elle attirait sans cesse l'attention des gens et, un jour, elle remporta un concours de photo de JCPenney où elle ne s'était même pas inscrite. Ma mère étant souvent occupée avec ma plus jeune sœur, Cindy, c'étaient ma cadette Michelle et moi-même qui nous occupions à tour de rôle de Katrin.

J'ai de très beaux souvenirs de cette période-là. J'étais autoritaire et sûre de moi, et Katrin idolâtrait sa grande sœur, donc nous nous accordions parfaitement. J'inventais des jeux et des histoires, et lui apprenais les osselets, la marelle chinoise et la double corde à sauter. On jouait au restaurant : je faisais le chef de cuisine et la serveuse, et elle était la cliente. On jouait à l'école : je faisais le prof et elle, accompagnée de cinq animaux en peluche, était mon élève (Katrin excellait dans mes cours). J'organisais des carnavals McDonald's afin de récolter de l'argent pour la lutte contre la dystrophie musculaire : elle assurait la permanence à la cabane, et moi je récoltais l'argent.

Trente-cinq ans plus tard, Katrin et moi étions encore proches. Des quatre sœurs, nous étions celles qui se ressemblaient le plus, au moins en apparence. Toutes deux, nous avions chacune deux diplômes de Harvard (en réalité, elle en avait trois, à cause de son diplôme de formation sur le terrain), chacune épousé un homme d'origine juive, chacune fait une carrière universitaire comme notre père, et chacune deux enfants.

Quelques mois avant que Lulu ne se coupe les cheveux, je reçus un appel téléphonique de Katrin, qui enseignait et dirigeait un laboratoire à l'université Stanford. C'est le pire coup de téléphone que j'aie reçu de toute ma vie.

Elle sanglotait. Elle m'annonça qu'on lui avait diagnostiqué une leucémie rare et presque certainement mortelle.

C'est impossible, pensai-je confusément. Que la leucémie frappe ma famille — ma famille chanceuse — pour la deuxième fois ?

Mais c'était la vérité. Katrin s'était sentie épuisée, avait eu la nausée et le souffle court pendant plusieurs mois. Quand elle alla finalement consulter un médecin, les résultats des analyses de sang étaient caractéristiques. Par une coïncidence cruelle, la leucémie qu'elle avait contractée était causée par exactement le même genre de mutation cellulaire qu'elle étudiait dans son laboratoire.

« Je n'en aurai probablement pas pour longtemps à vivre, dit-elle en pleurant. Qu'est-ce que Jake va devenir ? Et Ella ne me connaîtra même pas. » Le fils de Katrin avait dix ans, sa fille à peine un an. « Tu dois t'assurer qu'elle saura qui j'étais. Tu dois me le promettre, Amy. Je ferais mieux de prendre des photos… » Et elle s'arrêta net.

J'étais sous le choc. Je n'arrivais tout simplement pas à y croire. Une image de Katrin à l'âge de dix ans me revint soudain en mémoire, et il était impossible de l'associer avec le mot *leucémie*. Comment était-il possible qu'une chose pareille lui arrive — à *Katrin ?* Et mes parents ! Comment allaient-ils prendre ça ?… Ça allait les tuer.

« Qu'ont dit les médecins précisément, Katrin ? » Je m'entendis poser cette question avec une voix étrangement assurée. J'étais repassée en un clin d'œil en mode grande sœur dynamique et invulnérable.

Mais Katrin ne répondit pas à ma question. Elle dit qu'elle devait raccrocher et qu'elle me rappellerait.

Dix minutes plus tard, je reçus un courrier électronique de sa part qui disait : « Amy, c'est vraiment très, très grave. Désolée ! J'aurai besoin de chimiothérapie et ensuite, si possible, d'une greffe de moelle osseuse, puis encore de la chimio, et peu de chances de survivre. »

Étant scientifique, elle avait évidemment raison.

26

RÉBELLION, SECONDE PARTIE

J'emmenai Lulu au salon de coiffure le lendemain de sa coupe de cheveux. On ne parlait pas beaucoup dans la voiture. J'étais tendue et préoccupée par beaucoup de choses.

« Que s'est-il passé ? demanda la coiffeuse.

— Elle les a coupés », expliquai-je. Je n'avais rien à cacher. « Vous est-il possible de faire en sorte que ça repousse de façon plus jolie ?

— Eh ben dis donc, tu ne t'es pas loupée, ma chérie, dit la coiffeuse, en regardant Lulu avec curiosité. Qu'est-ce qui t'a poussée à faire ça ? »

« Oh, c'était un acte d'autodestruction adolescente qui visait surtout ma mère », m'attendais-je à entendre dans la bouche de Lulu. Elle ne manquait ni de vocabulaire ni de conscience de soi.

Mais, au lieu de cela, Lulu dit d'une voix aimable : « J'ai essayé de faire un dégradé. Mais j'ai vraiment tout fichu en l'air. »

Plus tard, de retour à la maison, je lui dis : « Lulu, tu

sais que maman t'aime, et que tout ce que je fais, je le fais pour toi, pour ton avenir. »

Ma propre voix résonnait à mes oreilles de façon artificielle, et Lulu dut l'entendre pareillement, car sa réponse fut un « c'est super » prononcé sur un ton plat et indifférent.

Les cinquante ans de Jed approchaient. J'organisai un énorme anniversaire surprise, invitant ses amis de longue date, de son enfance et de toutes les périodes de sa vie, et je priai tout le monde de préparer une histoire amusante sur Jed. Des semaines à l'avance, je demandai à Sophia et Lulu de rédiger chacune un petit discours.

« Et ne l'écrivez pas au pied levé, ordonnai-je. Il faut que ce soit éloquent, et ça ne doit pas être cliché. »

Sophia s'y mit tout de suite. Comme d'habitude, elle ne me consulta pas, ni ne me demanda des conseils sur un seul mot. Par contre, Lulu déclara : « Je ne veux pas faire de discours.

— Tu *dois* faire un discours, répliquai-je.

— Aucune personne de mon âge ne fait de discours, dit Lulu.

— C'est parce qu'ils viennent de mauvaises familles, rétorquai-je.

— Est-ce que tu sais combien tu parais folle quand tu dis des choses pareilles ? demanda Lulu. Ils ne viennent pas de "mauvaises" familles. C'est quoi, une "mauvaise" famille ?

— Lulu, tu es tellement ingrate. Quand j'avais ton âge, je travaillais sans arrêt. J'ai bâti une cabane dans un arbre pour mes sœurs parce que mon père me l'a demandé. J'obéissais à tous ses ordres, et c'est pourquoi je sais me servir d'une tronçonneuse. J'ai aussi construit une cage à colibris. J'ai été livreuse de journaux pour *El Cerrito Journal*, et je devais porter sur la tête un énorme sac de plus de vingt kilos rempli de journaux et marcher huit kilomètres. Et regarde-toi — on t'a donné toutes les chances, tous les privilèges. Tu n'as jamais été obligée de porter de fausses Adidas à quatre bandes au lieu de trois. Et tu n'es même pas capable de faire une minuscule petite chose pour papa. C'est dégoûtant.

— Je ne veux pas faire de discours », répéta Lulu en guise de réponse.

Je sortis l'artillerie lourde. Je la menaçais de tout ce qui me venait à l'esprit. Je la soudoyais. J'essayais de lui donner de l'inspiration. De lui faire honte. Je lui proposais de l'aider à écrire son discours. Je faisais monter les enchères et lui donnais un ultimatum, sachant que ce serait une bataille essentielle.

Quand la fête arriva, Sophia prononça un mini chef-d'œuvre. À seize ans, un mètre soixante-seize avec ses talons, elle était devenue une fille superbe, à l'esprit rusé. Dans son toast, elle rendit parfaitement son père, dont elle se moquait gentiment mais qu'en fin de compte elle adulait. Par la suite, mon ami Alexis vint me voir. « Sophia est tout simplement incroyable. »

J'acquiesçai de la tête. « Elle a fait un formidable discours.

— Absolument… mais ce n'est pas ce que je voulais

dire, dit Alexis. Je ne sais pas si les gens comprennent réellement Sophia. Elle est totalement indépendante, et pourtant elle réussit toujours à faire beaucoup d'honneur à la famille. Et cette Lulu est tout simplement adorable. »

Je n'avais pas trouvé Lulu adorable du tout. Pendant le toast de Sophia, elle s'était tenue à côté de sa sœur, souriant affablement. Mais elle n'avait rien écrit et refusa de dire un seul mot.

J'avais perdu. C'était la première fois. De toutes les turbulences et les luttes qu'avait connues notre foyer, je n'étais jusque-là jamais sortie vaincue, du moins pas sur quelque chose d'important.

Cet acte de défiance et d'irrespect me rendit furieuse. Ma colère couva pendant quelque temps, puis je déchaînai tout mon courroux. « Tu as déshonoré la famille — et toi-même, dis-je à Lulu. Il te faudra vivre avec ta faute jusqu'à la fin de tes jours. »

Lulu répondit brusquement : « Tu es une frimeuse. Il n'y en a que pour toi. Tu as déjà une fille qui fait tout ce que tu veux. Pourquoi as-tu besoin de moi ? »

Il y avait maintenant un mur entre nous. Jadis, nous nous battions âprement, mais on se réconciliait toujours. On finissait par se retrouver dans son lit ou dans le mien, blotties dans les bras l'une de l'autre, pouffant de rire en nous imitant nous-mêmes en train de nous disputer. Je disais des choses totalement inappropriées en tant que parent, comme « je vais bientôt mourir » ou « je n'arrive pas à croire que tu m'aimes autant, ça fait mal tellement c'est trop ». Et Lulu s'exclamait : « Maman ! tu es vraiment bizarre ! », mais souriait malgré elle. Maintenant, Lulu ne venait plus dans ma chambre le soir. Elle ne dirigeait plus seulement sa colère contre moi, mais aussi contre Jed et Sophia, et passait de plus en plus de temps cloîtrée dans sa chambre.

N'imaginez pas que je n'essayais pas de reconquérir Lulu. Quand je n'étais pas furieuse ou que je n'étais pas en train de me disputer avec elle, je faisais tout ce que je pouvais. Une fois, je lui dis : « Hé, Lulu ! Et si on changeait nos vies en faisant quelque chose de complètement différent et amusant — et si on organisait un vide-greniers. » Et on en fit un (bénéfices nets de 241,35 dollars), et c'était amusant, mais ça ne changeait pas nos vies pour autant. Une autre fois, je lui suggérai d'essayer un cours de violon électrique. Elle le fit et ça lui plut, mais quand j'essayai de réserver une deuxième leçon, elle me répondit que c'était idiot et me dit d'arrêter. Peu de temps après, voilà que nous remettions ça, de nouveau aux prises l'une avec l'autre.

D'un autre côté, pour deux personnes qui étaient toujours à se battre, Lulu et moi passions beaucoup de temps ensemble, même si ce n'était pas exactement ce que j'appellerais des moments de qualité. Voici ce qu'était notre habituel week-end de travail :

Samedi : une heure de route (à 8 heures du matin) jusqu'à Norwalk, dans le Connecticut ;
trois heures de travail avec l'orchestre ;
une heure de route pour retourner à New Haven ;

devoirs ;
une à deux heures de violon ;
une heure de divertissement en famille (optionnel).

Dimanche : une à deux heures de violon ;
deux heures de route jusqu'à New York ;
une heure de leçon avec Mlle Tanaka ;
deux heures de route pour retourner à New Haven ;
devoirs.

Rétrospectivement, je dois admettre que ce n'était pas très drôle. Il n'empêche que ça en valait la peine. Le fait est que Lulu détestait le violon — sauf quand elle adorait ça. Elle me dit un jour : « Quand je joue du Bach, j'ai l'impression de voyager dans le temps ; je pourrais être au XVIIIe siècle. » Elle ajouta qu'elle aimait la façon dont la musique transcende l'histoire. À l'un des récitals semestriels de Mlle Tanaka, je me souviens que Lulu hypnotisa le public avec le *Concerto pour violon* de Mendelssohn. Plus tard, Mlle Tanaka me confia : « Lulu est différente des autres. Elle sent réellement la musique et elle la comprend. Ça se voit qu'elle adore le violon. »

D'un côté, j'avais le sentiment que nous avions dupé Mlle Tanaka. Mais, d'un autre côté, j'étais pleine d'inspiration et de nouvelles résolutions.

La bat-mitsva de Lulu approchait. Bien que je ne sois pas juive et que cette cérémonie fasse partie du domaine de Jed, Lulu et moi combattions aussi sur ce terrain-là. Je voulais qu'elle joue du violon à sa bat-mitsva et j'avais en tête la *Mélodie hébraïque* de Joseph Achron, un magnifique morceau plein de piété dont nous avait parlé Lexie, la vieille amie de Lulu. Jed approuva ; pas Lulu.

« *Jouer du violon ?* À ma bat-mitsva ? C'est ridicule ! Je refuse, dit Lulu avec incrédulité. C'est complètement déplacé. Sais-tu seulement ce que signifie bat-mitsva ? Ce n'est pas un récital. » Puis elle ajouta : « Je veux seulement faire une grande fête et avoir plein de cadeaux. »

C'était dit pour me provoquer et me rendre furieuse. Lulu m'avait entendue pendant des années me répandre en injures contre les enfants riches gâtés-pourris dont les parents dépensent des millions de dollars pour leur bat-mitsva, leurs bals ou l'anniversaire de leurs seize ans. La vérité, c'est que Lulu a une forte identité juive. Contrairement à Sophia (ou à Jed, d'ailleurs), Lulu avait toujours insisté pour observer la pâque juive ou le jeûne de Yom Kippour. Pour elle, plus encore que pour Sophia, la bat-mitsva était un événement important de sa vie, et elle se mit avec passion à apprendre des passages de la Torah et de la haftarah.

Je ne mordis pas à l'hameçon. « Si tu ne joues pas du violon, dis-je calmement, alors papa et moi n'organiserons pas de fête pour toi. On peut simplement faire une petite cérémonie — c'est le rituel qui est important, après tout.

— Tu n'as pas le droit ! dit Lulu furieusement. C'est tellement injuste. Tu n'as pas fait jouer du piano à Sophia pour sa bat-mitsva.

— C'est bon pour toi de faire quelque chose que Sophia n'a pas fait, dis-je.

— Tu n'es même pas juive, rétorqua Lulu. Tu ne sais pas de quoi tu parles. Tu n'as rien à voir là-dedans. »

Six semaines avant la date, j'envoyai les invitations, mais je prévins Lulu : « Si tu ne joues pas la *Mélodie hébraïque*, j'annule la fête.

— Tu ne peux pas faire ça, dit Lulu avec dédain.

— Pourquoi ne pas me tester, Lulu ? la défiai-je. Pour voir si je le ferai ou pas. »

Honnêtement, je ne savais pas qui gagnerait cette fois-ci. C'était aussi une manœuvre très risquée, parce que je n'avais pas de stratégie de sortie si je perdais.

27

KATRIN

La nouvelle du cancer de Katrin était insupportable pour mes parents. Deux des personnes les plus fortes que je connaisse se décomposèrent de chagrin. Ma mère pleurait tout le temps et refusait de sortir de chez elle comme de répondre aux coups de fil des amis. Elle ne voulait même pas parler à Sophia ou à Lulu au téléphone. Mon père n'arrêtait pas de m'appeler, me demandant d'une voix angoissée — à maintes et maintes reprises — s'il y avait le moindre espoir.

Pour le traitement, Katrin choisit le centre de cancérologie Dana-Farber/Harvard à Boston. Nous avions appris que c'était l'un des meilleurs services de greffe de moelle osseuse du pays. Harvard était aussi le lieu où Katrin et son mari, Or, avaient fait leurs études et reçu leur formation sur le terrain, et elle connaissait encore des gens là-bas.

Tout se passa très vite. Seulement trois jours après avoir pris connaissance du diagnostic, Katrin et Or fermèrent leur maison à clé et quittèrent Stanford pour installer toute leur famille à Boston (Katrin refusa même d'envisager de laisser ses enfants en Californie avec leurs grands-parents). Avec l'aide de nos amis Jordan et Alexis, on leur trouva une maison en location à Boston, une école pour Jake et une garderie pour Ella.

La leucémie de Katrin était si agressive que les médecins de Dana-Farber lui dirent qu'il fallait recourir sans attendre à une greffe de moelle osseuse. Aucune autre voie n'offrait la moindre chance de survie. Mais pour que la greffe soit possible, Katrin devait d'abord subir une chimiothérapie intensive et prier pour que la leucémie entre en rémission ; ensuite, si tel était le cas, elle avait besoin qu'on lui trouve un donneur compatible. L'espoir de surmonter chacun de ces obstacles était mince ; celui de surmonter les deux était dramatiquement faible. Et, même si tout cela marchait, survivre à la greffe de moelle osseuse relèverait du miracle.

Katrin eut deux jours de battement avant d'entrer à l'hôpital, et j'étais présente quand elle dit au revoir à ses enfants. Elle avait tenu à laver le linge — deux lessives — et avait préparé les vêtements de Jake pour le lendemain. Paralysée par l'incrédulité, je l'observais qui pliait avec soin les chemises de son fils, défroissait les bavoirs et bodies de sa fille. « J'adore faire la lessive », me dit-elle. Avant de quitter la maison, elle me confia tous ses bijoux, ajoutant : « Au cas où je ne reviendrais pas. »

Or et moi conduisions Katrin à l'hôpital où, pendant que nous attendions de remplir les formulaires, elle n'arrêtait pas de plaisanter — « Trouve-moi une bonne perruque,

Amy. J'ai toujours voulu avoir de beaux cheveux » — et de s'excuser de me prendre autant de temps. Une fois à sa chambre d'hôpital — de l'autre côté d'un rideau se trouvait une femme âgée d'apparence cadavérique, qui avait manifestement subi une chimiothérapie — la première chose que fit Katrin fut de sortir des photos de sa famille. Il y avait un gros plan d'Ella, une photo de Jake à l'âge de trois ans, et une photo d'eux quatre, radieux, sur un court de tennis. Même si elle avait l'air égarée de temps à autre, Katrin semblait complètement calme et posée.

En revanche, lorsque deux internes en médecine — l'un était asiatique, l'autre nigérian — vinrent se présenter à Katrin, je bouillais d'indignation et de rage. C'était comme s'ils jouaient au docteur. Ils étaient incapables de répondre à aucune de nos questions, firent référence à deux reprises au mauvais pronostic de la leucémie, et Katrin finit par devoir leur expliquer le protocole qu'ils devaient suivre ce soir-là. Je n'avais qu'une pensée en tête : des étudiants ? la vie de ma sœur est entre les mains d'étudiants en médecine ?

Mais la réaction de Katrin fut totalement différente. « Je n'arrive pas à croire que, la dernière fois que je me suis trouvée dans ce bâtiment, j'étais l'un d'eux, dit-elle pensivement après le départ des internes, un soupçon de tristesse dans la voix. On venait de se rencontrer, Or et moi. »

Les premières semaines de chimiothérapie se passèrent bien. Comme nous l'avions constaté avec Florence, les effets de la chimio sont cumulatifs, et pendant les premiers jours Katrin disait se sentir super bien — à vrai dire, plus énergique qu'elle ne l'avait été depuis des mois, car on lui faisait régulièrement des transfusions sanguines pour contrer son anémie. Elle passait son temps à écrire des articles scientifiques (dont l'un fut publié par *Cell* durant son séjour à l'hôpital), à diriger à distance son labo à Stanford, et à acheter sur Internet livres, jouets et vêtements d'hiver pour Jake et Ella.

Même après avoir commencé à sentir les effets de la chimio, Katrin ne se plaignit jamais, ni du cathéter de Hickman, qui était introduit dans sa poitrine et portait directement les drogues d'un goutte-à-goutte jusqu'à ses veines principales (« Ça va, mais je n'arrive toujours pas à le regarder ») ; ni des fièvres soudaines qui la faisaient frissonner ; ni des centaines d'injections, pilules et piqûres qu'elle devait endurer. Pendant tout ce temps-là, Katrin m'envoyait d'amusants courriers électroniques qui me faisaient parfois rire tout haut. « Ouais ! écrivit-elle une fois. Je commence à me sentir MAL. La chimio est en train de marcher… comme prévu. » Et une autre fois : « J'ai hâte de recevoir la visite du phlébotomiste ce matin. Voilà à quoi j'en suis réduite. » Le phlébotomiste était la personne qui lui faisait des saignées et la renseignait sur sa numération globulaire. Et encore : « Je peux à nouveau boire des liquides clairs. Je vais essayer le bouillon de poulet. Miam. »

Je finis par comprendre que, lorsque je n'avais pas de nouvelles de Katrin — quand elle ne répondait pas à mes coups de fil ou à mes courriers électroniques —, elle était soit prise de violentes nausées et enflée par l'urticaire à cause d'une réaction allergique à une transfusion de plaquettes (chose qui arrivait régulièrement), soit mise sous sédation analgésique pour émousser quelque nouvelle affliction épouvantable. Cependant, quand elle me donnait des nouvelles, elle était toujours joyeuse. À la question « Comment as-tu passé la nuit ? » de mes courriels quotidiens, elle répondait : « Mieux vaut ne pas le savoir », « Pas trop mal, mais pas super bien non plus », ou « Hélas, une autre fièvre ».

Je me rendis compte d'autre chose également : Katrin était résolue à vivre pour ses enfants. Depuis qu'elle était petite, elle avait toujours été, des quatre sœurs, celle qui avait la plus grande capacité de concentration. Elle consacrait maintenant absolument toute son intelligence et sa créativité à combattre sa leucémie. Grâce à sa formation de médecin, elle dominait complètement sa propre maladie, revérifiant les doses, étudiant ses analyses cytogénétiques, faisant des recherches sur les essais cliniques sur Internet. Elle adorait ses médecins — elle en savait assez long sur la médecine pour apprécier leur expérience, leur acuité et la justesse de leurs avis — et ils l'adoraient eux aussi, de même que toutes les infirmières et les jeunes internes. Un jour, un jeune chercheur en médecine, fraîchement arrivé en stage dans le service, reconnut son nom — docteur Katrin Chua de l'université Stanford, auteur de deux articles publiés dans la prestigieuse revue scientifique *Nature* ! — et lui demanda tout intimidé des conseils professionnels. Pendant ce temps, pour rester en forme, Katrin se forçait à marcher pendant vingt minutes deux fois par jour, en tournant autour de la perfusion à laquelle elle était accrochée.

Je passai beaucoup de temps à Boston pendant l'automne et l'hiver 2008. Tous les week-ends, notre famille au complet s'y rendait — parfois nous faisions le trajet de deux heures jusqu'à Boston juste après être rentrées, Lulu et moi, de notre aller-retour de quatre heures chez Mlle Tanaka. Katrin elle-même ne se souciait pas du tout d'avoir de la visite — et après que la chimio eut tué son système immunitaire, les visites étaient déconseillées —, mais elle s'inquiétait pour Jake et Ella, et elle était heureuse quand nous passions du temps avec eux. Sophia adorait sa toute petite cousine Ella, et Lulu et Jake étaient les meilleurs amis du monde. Ils avaient à peu près la même personnalité et se ressemblaient tellement que les gens croyaient souvent qu'ils étaient frère et sœur.

Évidemment, nous n'attendions qu'une chose, avec appréhension : voir si Katrin entrait en rémission. Le vingtième jour, ils procédèrent à la biopsie cruciale. Une autre semaine s'écoula avant que nous ayons les résultats. Ils n'étaient pas bons — pas bons du tout. Katrin avait perdu ses cheveux, sa peau se desquamait, et elle avait toutes les complications gastro-entérologiques imaginables, mais elle n'était pas entrée en rémission. Son médecin lui dit qu'elle aurait besoin d'un autre cycle de chimio. « Ce n'est pas la fin du monde », dit-il en essayant de paraître optimiste. Mais nous avions fait des recherches de notre côté, et nous savions tous que, si le cycle suivant ne marchait pas, la probabilité que la greffe réussisse pour Katrin était effectivement nulle. C'était sa dernière chance.

28

LE SAC DE RIZ

Sophia, à l'âge de seize ans.

Un soir que je rentrais à la maison après le travail, je trouvai un tapis de riz cru sur le sol de la cuisine. J'étais fatiguée et tendue. Je venais de passer quatre heures à enseigner et à rencontrer ensuite des étudiants, et je songeais à me rendre en voiture à Boston après le dîner. Un gros sac de toile gisait en lambeaux, il y avait des chiffons et des sacs en plastique éparpillés un peu partout, et Coco et Pouchkine aboyaient à tout rompre dehors. Je savais exactement ce qui s'était passé.

À ce moment-là, Sophia entra dans la cuisine avec un balai, l'air affolé.

J'explosai de colère. « Sophia, tu as recommencé ! Tu as laissé la porte du garde-manger ouverte, n'est-ce pas ? Combien de fois t'ai-je répété que les chiens iraient manger le riz ? Tout le sac de vingt kilos a disparu — les chiens vont probablement mourir maintenant. *Tu n'écoutes jamais*. Tu dis toujours : "Oh, je suis désolée, je ne le referai plus — je m'en veux — j'aimerais être morte", mais *tu ne changes jamais*. La seule chose qui t'importe est de ne pas avoir d'ennuis. Tu ne te soucies de personne d'autre. J'en ai marre que tu n'écoutes jamais — marre ! »

Jed m'a toujours reproché de réagir de façon disproportionnée, et de mettre un énorme opprobre moral sur la plus petite erreur. Mais la stratégie de Sophia était généralement d'encaisser et d'attendre que l'orage passe.

Cette fois-ci, pourtant, Sophia explosa elle aussi. « Maman ! Je vais nettoyer, d'accord ? Tu réagis comme si je venais de cambrioler une banque. Sais-tu combien je suis sage ? Tous les gens que je connais font tout le temps la fête, et ils boivent de l'alcool, et ils prennent de la drogue. Et sais-tu ce que je fais, moi ? Tous les jours, je rentre en courant à la maison dès que les cours ont fini. En *courant*. Sais-tu à quel point c'est bizarre, ça ? L'autre jour, je me suis tout à coup demandé : "Mais pourquoi je fais ça ? Pourquoi est-ce que je cours pour rentrer à la maison ?" Pour faire encore plus de piano ! Tu parles toujours de reconnaissance, mais c'est envers *moi* que tu devrais être reconnaissante. Ne passe pas tes frustrations sur moi uniquement parce que tu n'arrives pas à te faire obéir de Lulu. »

Sophia avait tout à fait raison. Elle m'avait rendue fière et tellement facilité la vie pendant seize ans. Mais parfois, quand je sais que j'ai tort et que je ne m'aime pas, quelque chose en moi s'endurcit et me pousse à aller encore plus loin, si bien que je lui dis : « Je ne t'ai jamais demandé de rentrer à la maison en courant — c'est idiot. Tu dois avoir l'air ridicule. Et si tu veux prendre de la drogue, vas-y. Tu rencontreras peut-être un type sympathique en cure de désintox.

— La dynamique de cette famille est ridicule, protesta Sophia. Je fais tout le travail, et tout ce que tu me dis de faire, et il suffit d'une erreur de ma part pour que tu me hurles dessus. Lulu ne t'obéit jamais. Elle te répond avec insolence et jette des objets, et toi tu l'achètes avec des cadeaux. Quel genre de “mère chinoise” es-tu donc ? »

Sophia tapait en plein dans le mille. C'est peut-être le bon moment de soulever un point important au sujet du mode d'éducation à la chinoise et de la place dans la fratrie. Ou peut-être juste de la place dans la fratrie. J'ai une étudiante, fille aînée d'immigrants coréens, qui s'appelle Stephanie et qui m'a raconté récemment une histoire amusante. Lorsqu'elle était au lycée (notes excellentes, as des maths, pianiste de concert), sa mère avait l'habitude de la menacer : « Si tu ne fais pas telle ou telle chose, je ne t'emmènerai pas à l'école. » Et cette perspective épouvantait Stephanie au plus haut point : manquer l'école ! Alors elle obéissait scrupuleusement à sa mère, en espérant désespérément qu'il ne soit pas trop tard. En revanche, quand sa mère menaçait sa sœur cadette du même sort, celle-ci répondait : « *Génial !* J'adorerais rester à la maison. Je déteste l'école. »

Il y a beaucoup d'exceptions bien entendu, mais c'est là une tendance — aîné modèle, cadet rebelle — que j'ai indéniablement remarquée dans de nombreuses familles, surtout les familles immigrées. Je pensais juste que je pouvais l'éviter dans le cas de Lulu par ma seule volonté et mon seul travail.

« Comme tu le sais, Sophia, j'ai des problèmes avec Lulu, concédai-je. Ce qui a marché avec toi ne fonctionne pas avec elle. C'est un gâchis.

— Oh… ne t'inquiète pas, maman, dit Sophia d'une voix soudain gentille. C'est juste une phase. C'est terrible d'avoir treize ans. Moi, j'étais affreusement malheureuse. Mais ça va s'arranger. »

Je ne savais même pas que Sophia avait été malheureuse à l'âge de treize ans. Maintenant que j'y pense, ma mère non plus n'avait pas su que j'avais été malheureuse au même âge. Comme dans la plupart des familles immigrées asiatiques, il n'y avait pas de « discussions » à cœur ouvert chez nous. Ma mère ne m'a jamais parlé de l'adolescence et surtout pas du mot grossier de sept lettres, commençant par *p-u* et finissant par *é*, qui définit ce qui arrive aux adolescents. Nous ne parlions absolument jamais de la façon dont les enfants viennent au monde — le seul fait d'imaginer pareille conversation rétrospectivement me donne froid dans le dos.

« Sophia, dis-je, tu as la même place que celle que j'avais dans ma famille : tu es l'aînée ; celle sur laquelle tout le monde compte et pour qui personne n'a à s'inquiéter. C'est un honneur de jouer ce rôle. Le problème, c'est que la culture occidentale ne le voit pas du même œil. Dans les films de Disney, il faut toujours que la "fille sage" ait une dépression nerveuse, qu'elle réalise qu'il n'y a pas que des règles à suivre et des prix à décrocher dans la vie, et ensuite qu'elle se déshabille pour courir plonger dans l'océan, ou quelque chose de ce genre. Avec ce genre d'histoires, Disney cherche seulement à plaire à tous ceux qui ne remportent jamais de prix. Or remporter des prix offre des occasions, et c'est ça la liberté — pas de courir plonger dans l'océan. »

J'étais profondément émue par mon discours solennel. Malgré tout, je ressentais un pincement au cœur. Une image de Sophia rentrant en courant à la maison à la sortie de l'école, les bras pleins de livres, surgit dans mon esprit, et je pouvais à peine le supporter. « Passe-moi le balai, dis-je. Tu as besoin de temps pour faire du piano. Je vais nettoyer tout ça. »

29

DÉSESPOIR

Ma sœur Michelle et moi avions été sollicitées pour savoir si l'une d'entre nous pouvait être la donneuse de moelle osseuse de Katrin. Les frères et sœurs ont la plus grande probabilité d'être parfaitement compatibles — environ une chance sur trois — et j'avais étrangement bon espoir que le résultat de mes analyses serait favorable à la greffe. Mais je me trompais. Ni Michelle ni moi n'étions compatibles avec elle. Ironie du sort, nous l'étions parfaitement l'une avec l'autre, mais aucune de nous ne pouvait aider Katrin, ce qui signifiait qu'elle devait maintenant recourir aux registres nationaux de donneurs de moelle osseuse. À notre grande consternation, nous avons appris que, lorsque les frères et sœurs se révélaient incompatibles, les chances de trouver un donneur chutaient de façon spectaculaire, surtout pour les personnes d'origine asiatique ou africaine. L'Internet regorge d'appels de la part de patients mourants qui cherchent désespérément à trouver un donneur de moelle osseuse compatible. Et même s'il y en avait un quelque part, le processus pouvait prendre des mois — des mois que Katrin n'aurait peut-être pas.

Si le premier cycle de chimio n'avait pas été un cauchemar, c'était plus que compensé par le second — qui était brutal. Maintenant, les jours passaient sans que j'aie de ses nouvelles. Complètement paniquée, j'appelais Or, mais je ne tombais souvent que sur son répondeur ; ou bien il répondait avec brusquerie en disant : « Je ne peux pas te parler maintenant, Amy. J'essaierai de te rappeler. »

La principale cause de mortalité liée à la chimiothérapie demeure l'infection. Les affections ordinaires comme le rhume de cerveau ou la grippe peuvent facilement tuer un cancéreux dont les globules blancs ont été détruits. Katrin contractait des infections les unes après les autres. Pour les combattre, ses médecins lui prescrivaient un tas d'antibiotiques, qui provoquaient toutes sortes d'effets secondaires douloureux et, quand ces antibiotiques ne marchaient pas, ils en essayaient d'autres. Elle ne pouvait ni manger ni boire pendant des semaines, et n'était maintenue en vie que grâce aux perfusions. Elle était toujours soit gelée, soit brûlante. Les complications et les crises ne cessaient de se succéder, et elle souffrait souvent un tel martyre qu'il fallait la mettre sous sédation.

À la fin du second cycle de chimio, nous retenions de nouveau notre souffle. Un des moyens de s'assurer que la leucémie de Katrin était en rémission était de vérifier si son organisme recommençait à produire des globules sains — en particulier des neutrophiles qui permettent de se défendre contre les infections bactériennes. Je savais que le sang de Katrin était prélevé très tôt le matin, alors je restais assise devant mon écran d'ordinateur dès six heures, dans l'attente d'un courriel de sa part. Mais Katrin ne m'écrivait plus. Quand je n'en pouvais plus d'attendre et que j'étais la première à lui envoyer un message, j'obtenais des réponses laconiques du genre : « Numérations toujours pas en hausse » ou « Toujours rien. Très déçue ». Bientôt, elle ne répondit plus du tout à mes courriels.

Je me suis toujours demandé ce qui ne tourne pas rond chez les gens qui ne veulent pas comprendre et qui laissent des messages l'un après l'autre sur un répondeur (« Appelle-moi ! Où es-tu ? Je m'inquiète ! »), même quand il est évident qu'il y a une raison pour qu'on ne les rappelle pas. Eh bien, c'était maintenant plus fort que moi. J'étais trop anxieuse pour me soucier d'être embêtante. Durant la semaine qui suivit la fin de son second cycle de chimio, je n'arrêtais pas d'appeler Katrin tous les matins, et même si elle ne répondait jamais — le numéro s'affichait sur son téléphone, alors elle savait que c'était moi —, je continuais de laisser des messages, de la tenir informée sur des choses inutiles, imaginant que j'étais joyeuse et que je lui réchauffais le cœur.

Puis un matin, Katrin répondit au téléphone. Elle n'était pas comme d'habitude. Sa voix était si faible que je pouvais à peine l'entendre. Je lui demandai comment elle se sentait, mais elle ne fit que soupirer. Puis elle dit : « Ça ne sert à rien, Amy. Je ne vais pas y arriver. Il n'y a aucun espoir… Il n'y a tout simplement aucun espoir. » Et sa voix s'estompa.

« Ne dis pas de bêtises, Katrin. C'est parfaitement normal que ça prenne autant de temps avant que les numérations ne remontent. Parfois ça peut prendre des mois. Jed vient d'ailleurs de faire des recherches là-dessus. Je peux t'envoyer les chiffres si tu veux. De plus, Or me dit que le médecin est vraiment très optimiste. Attends encore un peu. »

Il n'y avait pas de réponse, alors je recommençai à parler. « Lulu est un vrai cauchemar ! » dis-je, et je la régalai d'histoires à propos du violon, de nos disputes, et des crises que je piquais. Avant qu'elle ne tombe malade, Katrin et moi avions souvent parlé d'éducation et de l'impossibilité pour nous d'exercer sur nos enfants une autorité semblable à celle de nos parents sur nous.

Puis, à mon soulagement, j'entendis Katrin rire à l'autre bout de la ligne et dire d'une voix plus normale : « Pauvre Lulu ! C'est une fille si gentille, Amy. Tu ne devrais pas être si dure avec elle. »

Le jour d'Halloween, nous apprenions qu'ils avaient trouvé un donneur, un Sino-Américain qui était apparemment parfaitement compatible avec Katrin. Quatre jours plus tard, elle m'envoya un courriel annonçant : « J'ai des neutrophiles ! Le niveau est à 100, a besoin d'être à 500, mais augmentera avec un peu de chance. » Et il augmenta — très lentement, mais sûrement. Début novembre, Katrin était autorisée à sortir de l'hôpital pour recouvrer ses forces. Elle avait exactement un mois avant la greffe de moelle osseuse qui, si incroyable que cela puisse paraître, allait pourtant exiger un autre cycle de chimiothérapie — celle-là, la pire des chimios, administrée dans une salle stérile spéciale — pour débarrasser Katrin de toute sa moelle osseuse malade, afin que la moelle osseuse saine du donneur puisse la remplacer. De nombreux patients ne sont jamais sortis de cette salle.

Pendant le mois qu'elle passa chez elle, Katrin sembla tellement heureuse. Tout lui faisait plaisir : nourrir Ella, emmener les enfants se promener, et les regarder dormir, tout simplement. Ce qu'elle préférait, c'était regarder Jake jouer au tennis.

La greffe de moelle osseuse avait lieu la veille de Noël. Avec mes parents et toute ma famille, nous avons pris des chambres dans un hôtel de Boston, mangé des plats chinois à emporter et ouvert les cadeaux avec Or, Jake et Ella.

30

LA *MÉLODIE HÉBRAÏQUE*

Une toute nouvelle année — 2009. Elle ne commençait pas de manière très festive pour nous. Nous rentrions de Boston, épuisés. Ç'avait été une entreprise difficile de créer une ambiance de fête pour Jake et Ella, alors que leur mère se trouvait dans une unité de soins intensifs pour greffe de moelle osseuse. S'occuper de mes parents était encore plus atroce. Ma mère tenait absolument à se torturer en demandant pourquoi, pourquoi, pourquoi Katrin avait attrapé une leucémie. Je la rembarrais cruellement à quelques reprises, puis je m'en voulais terriblement. Mon père n'arrêtait pas de me poser les mêmes questions médicales, je ne sais combien de fois — questions que je soumettais à Jed qui expliquait patiemment le fonctionnement du processus de greffe. Nous avions tous une peur folle de ce que la nouvelle année allait peut-être apporter.

À New Haven, notre maison était glaciale et plongée dans l'obscurité. Il y avait eu une très violente tempête de neige avec des vents atteignant une vitesse record, et certaines de nos fenêtres étaient brisées. Puis une panne d'électricité nous laissa sans chauffage pendant quelque temps. Jed et moi avions un nouveau semestre devant nous et des cours à préparer. Pire que tout, le violon menaçait — avec trois concerts pour Lulu, ainsi que sa bat-mitsva. De retour dans les tranchées, pensai-je, morose.

Nous nous parlions à peine, Lulu et moi. Ses cheveux étaient un violent reproche. Malgré tous les efforts de la coiffeuse, ils étaient encore courts et un peu irréguliers, et ça me mettait de mauvaise humeur.

À la fin du mois de janvier, Katrin était autorisée à quitter l'hôpital. Au début, elle était si faible qu'elle avait du mal à monter les escaliers et, dans la mesure où elle demeurait encore extrêmement vulnérable aux infections, elle n'avait pas le droit de se rendre dans les restaurants, les magasins d'alimentation ou les cinémas sans un masque de protection. Tous, nous croisions les doigts, priant pour que son nouveau sang n'attaque pas son propre corps. Nous saurions en quelques mois si elle pouvait éviter la pire des complications — la forme aiguë de la maladie du greffon contre l'hôte — qui était potentiellement mortelle.

À mesure que les semaines passaient et que sa bat-mitsva approchait, Lulu et moi étions engagées dans un combat qui s'intensifiait. Comme pour Sophia, nous ne respections pas les conventions et organisions la bat-mitsva dans notre maison. Jed prit en charge le gros des responsabilités, mais c'était toujours moi qui sermonnais sans cesse Lulu pour qu'elle travaille son passage de la haftarah — j'étais une mère chinoise même pour l'hébreu. Comme toujours, c'était à propos du violon que nous luttions le plus âprement. « Tu ne m'as pas entendue ? Je t'ai dit de monter répéter la *Mélodie hébraïque* MAINTENANT ! dus-je tonner mille fois. Ce n'est pas un morceau difficile, alors si ce n'est pas incroyablement émouvant, ce sera un échec. » « Est-ce que tu *tiens* à être médiocre ? hurlais-je d'autres fois. C'est ça que tu veux ? »

Lulu ripostait toujours farouchement. « La bat-mitsva n'a pas besoin d'être exceptionnelle pour tout le monde, et je n'ai pas *envie* de répéter », répondait-elle du tac au tac, quand ce n'était pas : « Je ne jouerai pas du violon à ma bat-mitsva ! Et tu ne pourras pas me faire changer d'avis. » Ou alors : « Je *hais* le violon. Je veux arrêter ! » À la maison, les décibels atteignaient des niveaux exceptionnels. Jusqu'au matin de la bat-mitsva, j'ignorais si Lulu allait ou non jouer la *Mélodie hébraïque*, même si cela figurait sur le programme que Jed avait fait imprimer.

Lulu la joua. Elle donna satisfaction. Elle lut ses passages de la Torah et de la haftarah avec sang-froid et assurance, et à la façon dont elle joua la *Mélodie hébraïque* — emplissant la salle de sonorités d'une beauté si envoûtante que les invités pleuraient — il était évident pour tout le monde que ça venait du plus profond d'elle-même.

À la réception qui suivit, je vis le visage de Lulu rayonner tandis qu'elle accueillait les invités. Un de ses camarades s'exclama : « Oh ! mon Dieu, Lulu, t'es *trop forte* au violon, quoi, *carrément incroyable* ! »

« Elle est extraordinaire, s'émerveilla une amie qui est

chanteuse. Elle a manifestement un don, quelque chose que personne ne peut enseigner. » Lorsque je lui racontai à quel point j'avais du mal à faire répéter Lulu, elle répliqua : « Tu ne peux pas la laisser abandonner. Elle le regrettera pour le restant de ses jours. »

Ça se passait toujours comme ça quand Lulu jouait du violon. Elle captivait son auditoire tandis qu'elle était elle-même captivée par la musique. C'est ce qui rendait la situation si déroutante et exaspérante quand nous nous disputions et qu'elle affirmait qu'elle détestait le violon.

« Félicitations, Amy. Dieu seul sait ce que j'aurais pu devenir si tu avais été *ma* mère, dit en plaisantant notre amie Caren, une ancienne danseuse. J'aurais pu être formidable.

— Oh non, Caren, je ne me souhaiterais à personne, dis-je en secouant la tête. Il y a eu beaucoup de cris et de hurlements dans cette maison. Je ne pensais même pas que Lulu allait jouer aujourd'hui. À vrai dire, ça a été traumatisant.

— Mais tu as tellement donné à tes filles, persista Caren. Un sentiment de leurs propres capacités, de la valeur de l'excellence. Ce sont des choses qu'elles auront toute leur vie.

— Peut-être, dis-je d'un ton dubitatif. Je n'en suis plus tout à fait sûre. »

C'était une fête formidable, et tout le monde s'amusa. Le fait que Katrin soit présente avec sa famille fut un grand moment. Pendant les cinq mois qui suivirent sa sortie de l'hôpital, elle avait lentement recouvré des forces, même si son système immunitaire demeurait encore fragile, et je paniquais chaque fois que quelqu'un toussait. Quoique encore frêle, Katrin était jolie et presque triomphante quand elle portait Ella dans ses bras.

Ce soir-là, une fois les invités partis et la maison à peu près nettoyée, j'étais étendue sur mon lit en me demandant si Lulu allait venir m'embrasser comme elle l'avait fait après *Le Petit Âne blanc*. Ça faisait longtemps. Mais elle ne vint pas et, au lieu de cela, c'est moi qui allai dans sa chambre.

« N'es-tu pas contente que je t'aie fait jouer la *Mélodie hébraïque* ? » lui demandai-je.

Lulu semblait heureuse, mais pas particulièrement chaleureuse envers moi. « Si, maman, dit-elle. Tu peux t'en attribuer le mérite.

— D'accord, c'est ce que je vais faire », dis-je, en essayant de rire. Puis je lui dis que j'étais fière d'elle et qu'elle avait été brillante. Lulu souriait et restait courtoise. Mais elle semblait distraite, presque impatiente que je m'en aille, et quelque chose dans ses yeux me dit que mes jours étaient comptés.

31

LA PLACE ROUGE

Deux jours après la bat-mitsva de Lulu, nous partions pour la Russie. C'étaient des vacances dont je rêvais depuis longtemps. Mes parents avaient parlé avec enthousiasme de Saint-Pétersbourg quand j'étais gamine, et Jed et moi voulions emmener les filles dans un endroit que nous n'avions nous-mêmes jamais visité.

Nous avions besoin de vacances. Katrin venait tout juste de traverser la pire zone dangereuse de la forme aiguë de la maladie du greffon contre l'hôte, et nous avions pratiquement passé dix mois sans un jour de repos. Notre première étape fut Moscou, où Jed nous avait trouvé un hôtel commode en plein cœur de la ville. Après nous être brièvement reposés, nous sortîmes pour avoir notre premier aperçu de la Russie.

J'essayais de faire l'andouille et d'être accommodante, l'humeur dans laquelle mes filles préfèrent me voir, me retenant du mieux que je pouvais de faire mes habituelles remarques critiques sur les vêtements qu'elles portaient ou sur tous les « quoi » qui ponctuaient leurs phrases. Mais ce jour-là semblait receler quelque chose de néfaste. Ça nous prit plus d'une heure, en nous tenant dans deux files d'attente différentes, pour changer de l'argent à un endroit qui se définissait comme une banque, et, après cela, le musée que nous voulions visiter était fermé.

Nous décidâmes de nous rendre sur la place Rouge, qu'on pouvait rapidement rejoindre à pied de notre hôtel. La dimension même de la place était impressionnante. On aurait pu faire entrer trois terrains de football entre la porte que nous empruntions et, à l'autre bout, la cathédrale Basile-le-Bienheureux coiffée de son bulbe. Ce n'est pas une place chic ou plaisante comme celles que l'on trouve en Italie, mais une place conçue pour intimider, me dis-je, en imaginant des pelotons d'exécution et des bataillons de gardes staliniens.

Lulu et Sophia n'arrêtaient pas de s'envoyer des piques, ce qui m'agaçait. En fait, ce qui m'agaçait vraiment, c'était qu'elles étaient grandes toutes les deux — des adolescentes de ma taille (dans le cas de Sophia, presque huit centimètres de plus que moi) au lieu de jolies petites filles. « Ça passe tellement vite, nous avaient toujours dit, avec mélancolie, des amis plus âgés. Vous n'aurez pas le temps de dire ouf que déjà vos enfants auront grandi et quitté le foyer, et vous serez vieux même si vous avez l'impression d'être les mêmes que quand vous étiez jeunes. » Je ne croyais jamais mes amis quand ils disaient cela, parce qu'il me semblait que, eux, étaient réellement vieux. En remplissant autant que possible chaque instant de la journée, j'imaginais peut-être que je m'achetais plus de temps.

Fait purement mathématique, les gens qui dorment peu vivent plus.

« Voilà la tombe de Lénine derrière ce long mur blanc, dit Jed en le montrant aux filles. Son corps est embaumé et exposé. On peut aller le voir demain. » Puis Jed leur donna un rapide cours particulier sur l'histoire de la Russie et sur la politique de la guerre froide.

Après avoir flâné un peu — rencontrant de façon surprenante très peu d'Américains et nettement plus de Chinois, qui manifestaient une parfaite indifférence à notre égard —, nous trouvâmes un café à ciel ouvert où nous asseoir. Il était collé aux célèbres galeries marchandes du Goum, qui sont abritées dans un édifice palatial à arcades du XIXe siècle et prennent presque tout le côté est de la place Rouge, directement en face de la forteresse du Kremlin.

Commander des blinis et du caviar était une manière rigolote de commencer notre premier soir à Moscou, pensions-nous, Jed et moi. Mais lorsque le caviar arriva — trente dollars américains pour un minuscule récipient — Lulu dit : « Beurk, c'est dégoûtant », et ne voulut pas y goûter.

« Sophia, n'en prends pas autant. Laisses-en aux autres, lui dis-je d'un ton brusque, puis je me tournai vers mon autre fille : Lulu, on croirait entendre une sauvage inculte. Goûte au caviar. Tu peux mettre beaucoup de crème dessus.

— C'est encore pire, dit Lulu, et elle fit un geste comme pour frissonner. Et ne me traite pas de sauvage.

— Ne ruine pas les vacances de toute la famille, Lulu.

— C'est toi qui les gâches. »

Je poussai le caviar vers Lulu et lui ordonnai d'essayer un œuf — un seul œuf.

« Pourquoi ? demanda Lulu sur un ton de défi. Pourquoi c'est si important pour toi ? Tu ne peux pas me forcer à manger quelque chose. »

Je sentais la colère me monter au nez. N'étais-je pas capable d'imposer à Lulu la moindre petite chose ? « Tu te comportes comme une jeune délinquante. *Goûte un œuf maintenant.*

— Je ne veux pas, dit Lulu.

— *Fais-le tout de suite*, Lulu.

— Non.

— Amy, commença Jed avec diplomatie, on est tous fatigués. Pourquoi ne faisons-nous… »

Je l'interrompis. « Sais-tu combien mes parents seraient tristes et honteux s'ils voyaient ça, Lulu ! Voir que tu me désobéis en public ? En prenant cet air-là ? Tu te fais seulement du mal. On est en Russie, et tu refuses de goûter au caviar ! Tu te comportes en barbare. Et au cas où tu penserais être une grande rebelle, je peux te dire que tu es *complètement ordinaire*. Il n'y a rien de plus typique, de plus prévisible, de plus commun et bas, qu'une adolescente américaine qui ne veut pas essayer quelque chose. Tu es fatigante, Lulu — *fatigante*.

— Tais-toi, dit Lulu avec colère.

— Je t'interdis de me dire de me taire. Je suis ta mère », sifflai-je à mi-voix, mais quelques clients jetèrent quand même un coup d'œil vers nous. « Arrête d'essayer de jouer aux dures pour impressionner Sophia.

— Je te *déteste* ! JE TE DÉTESTE ! » Cela, Lulu ne l'avait pas sifflé à voix basse, mais hurlé à pleins poumons. Maintenant, tout le café nous dévisageait.

« Tu ne m'aimes pas, cracha-t-elle. Tu crois que tu m'aimes, mais ce n'est pas vrai. Tu fais en sorte que je me sente mal à chaque instant. Tu as brisé ma vie. Je ne supporte plus ta présence. C'est ça que tu veux ? »

Je commençais à avoir la gorge serrée. Lulu s'en rendit compte, mais continua : « Tu es une *mère terrible*. Tu es égoïste. Tu ne te soucies que de toi. Quoi — tu n'arrives pas à croire combien je suis ingrate ? Après tout ce que tu as fait pour moi ? Tout ce que tu prétends faire pour moi, tu le fais en réalité pour toi-même. »

Elle est exactement comme moi, pensai-je, cruelle de façon compulsive. « Tu es une enfant terrible, dis-je à voix haute.

— Je sais, je ne suis pas comme tu le voudrais, je ne suis pas chinoise ! Je ne veux pas être chinoise. Pourquoi n'arrives-tu pas à te mettre ça dans le crâne ? Je *hais* le violon. Je HAIS ma vie. Je te HAIS et je HAIS cette famille ! Je vais prendre ce verre et le casser !

— Vas-y », la défiai-je.

Lulu empoigna un verre qui était sur la table et le jeta par terre. De l'eau et des tessons volèrent un peu partout, et certains clients en eurent le souffle coupé. Je sentais que tous les yeux étaient rivés sur nous — un spectacle grotesque.

J'avais fait métier de rejeter le genre de parents occidentaux qui ne sont pas capables de contrôler leurs enfants. Et voilà que j'avais l'enfant la plus irrespectueuse, grossière, violente et incontrôlable d'entre tous.

Lulu tremblait de rage, et il y avait des larmes dans ses yeux. « J'en casserai d'autres si tu ne me laisses pas tranquille », cria-t-elle.

Je me levai et m'enfuis en courant. Je courus aussi vite que possible, sans savoir où j'allais, une folle de quarante-six ans qui cavalait en sandales et en pleurant. Je passai en courant devant le mausolée de Lénine et devant des gardes munis de fusils qui, pensai-je, allaient peut-être me tirer dessus.

Puis je m'arrêtai. J'étais arrivée à l'autre bout de la place Rouge. Il n'y avait nulle part où aller.

32

LE SYMBOLE

Les familles ont souvent des symboles : un lac à la campagne, la médaille du grand-père, le dîner du sabbat. Dans notre famille, le violon était devenu un symbole.

Pour moi, il symbolisait l'excellence, le raffinement et la profondeur — l'opposé des centres commerciaux, des Coca-Cola géants, des vêtements pour adolescents et du consumérisme grossier. Contrairement à l'écoute d'un iPod, jouer du violon est difficile et exige de la concentration, de la précision, et de l'interprétation. Même physiquement, tout dans le violon — le bois poli, la volute sculptée, le crin, le chevalet délicat, le placement de l'archet — est subtil, exquis et précaire.

À mes yeux, le violon symbolisait le respect pour la hiérarchie, les normes et la maîtrise d'un art. Pour ceux qui en savent plus et peuvent enseigner. Pour ceux qui jouent mieux et peuvent inspirer. Et pour les parents.

Il symbolisait aussi l'histoire. Les Chinois n'ont jamais atteint les sommets de la musique classique occidentale — il n'existe aucun équivalent chinois de la *Neuvième*

Symphonie de Beethoven — mais la grande musique traditionnelle est profondément liée à la civilisation chinoise. Le *qin* à sept cordes, souvent associé à Confucius, existe depuis au moins deux mille cinq cents ans, immortalisé par les grands poètes Tang et révéré comme l'instrument des sages.

Plus que tout, le violon symbolisait le contrôle. Sur le déclin générationnel. Sur la place dans la fratrie. Sur la destinée. Sur les enfants. Pourquoi les petits-enfants d'immigrés ne devraient-ils savoir jouer que de la guitare ou de la batterie ? Pourquoi les cadets, de façon si prévisible, devraient-ils être moins respectueux des règles, moins bons à l'école, et « plus sociables » que leurs aînés ? Enfin bref, le violon symbolisait la réussite du modèle d'éducation à la chinoise.

Pour Lulu, il incarnait l'oppression.

Et tandis que je retraversais lentement la place Rouge, je réalisai que le violon avait commencé à symboliser l'oppression pour moi aussi. Le simple fait de me représenter l'étui à violon de Lulu à la maison près de la porte d'entrée — au dernier moment nous avions décidé de ne pas l'emporter, pour la toute première fois — me fit penser à toutes les heures et à toutes les années de travail, de disputes, de contrariétés et de souffrances que nous avions endurées. Et tout ça pour quoi ? Je réalisais aussi que je redoutais au plus profond de moi ce que l'avenir nous réservait.

Il me vint à l'esprit que c'est certainement comme ça que pensent les parents occidentaux, et que c'est sans doute la raison pour laquelle ils laissent si souvent leurs enfants abandonner les instruments de musique. Pourquoi torturer votre enfant et vous-même ? À quoi bon ? Si votre enfant n'aime pas — déteste — quelque chose, ça avance à quoi de le forcer à le faire ? Je savais que, en tant que mère chinoise, je ne pourrais jamais céder à cette façon de penser.

Je rejoignis ma famille au café du Goum. Serveurs et clients détournèrent le regard.

« Lulu, dis-je. Tu as gagné. C'est fini. On laisse tomber le violon. »

33

À L'OUEST, DU NOUVEAU

Je ne bluffais pas. J'avais toujours adopté la stratégie de la corde raide avec Lulu, mais cette fois-ci, j'étais sérieuse. Je ne suis pas tout à fait sûre de savoir pourquoi. Peut-être m'autorisais-je finalement à admirer la force inébranlable de Lulu en tant que telle, même si j'étais en profond désaccord avec ses choix. Ou peut-être était-ce à cause de Katrin. L'observer, et voir ce qui était devenu important pour elle pendant ces mois de désespoir et de lutte bouleversa les choses pour nous tous.

C'était peut-être également à cause de ma mère. Pour moi, elle sera toujours la mère chinoise par excellence. Quand j'étais enfant, rien n'était assez bon pour elle. (« Tu dis que tu es arrivée première, mais en réalité tu es seulement arrivée ex aequo, n'est-ce pas ? ») Elle avait l'habitude de faire trois heures de piano par jour avec Cindy, jusqu'à ce qu'un professeur lui dise gentiment qu'ils avaient atteint une limite. Même après que je fus devenue professeur à l'université et que je l'invitais à quelques-unes de mes conférences publiques, elle émettait toujours des critiques terriblement justes, tandis que tout le monde me disait combien j'avais fait du bon travail. (« Tu t'agites et tu parles trop vite. Essaie de garder ton calme et tu seras meilleure. ») Pourtant, ma propre mère chinoise m'avait avertie voilà longtemps que quelque chose ne marchait pas avec Lulu. « Chaque enfant est différent, disait-elle. Il faut que tu t'adaptes, Amy. Regarde ce qui est arrivé à ton père », ajoutait-elle d'un ton sinistre.

Bon... mon père. Je suppose qu'il est temps que je déballe tout. J'avais toujours dit à Jed, à moi-même et à tout le monde que la preuve ultime de la supériorité de l'éducation à la chinoise, c'est la reconnaissance que les enfants éprouvent pour leurs parents. Malgré les exigences brutales, les abus de langage et le mépris que les parents affichent pour les désirs de leurs enfants, ceux-ci finissent par les adorer et les respecter, et par vouloir s'occuper d'eux pendant leurs vieux jours. Depuis le début, Jed m'avait toujours demandé : « Et ton père, Amy ? », sans que je puisse jamais lui fournir une bonne réponse.

Mon père était le mouton noir de sa famille. Sa mère le défavorisait et le traitait de façon injuste. Sous leur toit, les comparaisons entre les enfants étaient courantes, et c'était mon père — le quatrième des six enfants — qui en pâtissait toujours. Contrairement au reste de la famille, il ne s'intéressait pas aux affaires. Il aimait la science et les bolides ; à l'âge de huit ans, il construisit une radio de A à Z. Comparé à ses frères et sœurs, mon père était le hors-la-loi de la famille, aventurier et rebelle. Le moins que l'on puisse dire, c'est que sa mère ne respectait pas ses choix, n'appréciait pas son individualisme, ni ne se souciait de son amour-propre — tous ces clichés occidentaux. Résultat, mon père détestait sa famille, la trouvait étouffante et néfaste, et, dès qu'il en eut l'occasion, s'en alla aussi loin que possible, sans jamais regarder une seule fois derrière lui.

Ce qu'illustre l'histoire de mon père est une chose à laquelle, je suppose, je ne voulais jamais réfléchir. Quand l'éducation à la chinoise fonctionne, il n'y a rien de tel. Mais ça ne réussit pas à tous les coups. Pour mon propre père, ça n'avait pas marché. Il parlait à peine à sa mère et ne pensait jamais à elle, sauf sous le coup de la colère. Avant même qu'elle ne décède, la famille de mon père n'existait plus pour lui.

Je ne devais pas perdre Lulu. Rien n'était plus important. Alors je fis la chose la plus occidentale que l'on puisse imaginer : c'est *à elle* que je donnai le choix. Je lui dis qu'elle pouvait arrêter le violon si elle le souhaitait et faire ce qui lui plaisait à la place, ce qui, à l'époque, était de jouer au tennis.

Au début, Lulu supposa qu'il s'agissait d'un piège. Au fil des ans, nous avions joué tant de fois à celle qui se dégonflerait la première et élaboré des formes de guerre psychologique tellement compliquées qu'elle était naturellement méfiante. Mais lorsque Lulu comprit que j'étais sincère, elle me surprit.

« Je ne veux pas arrêter, dit-elle. J'adore le violon. Jamais je n'y renoncerai.

— Oh, je t'en prie, dis-je en secouant la tête. On ne va pas recommencer à tourner en rond.

— Je ne veux pas arrêter le violon, répéta Lulu. Je ne veux tout simplement pas le pratiquer de façon aussi intensive. Ce n'est pas la seule chose que j'ai envie de faire dans la vie. C'est toi qui l'as choisi, pas moi. »

Il s'avéra que ne pas pratiquer le violon de façon aussi intensive eut des conséquences radicales et, pour moi, déchirantes. Premièrement, Lulu décida de quitter l'orchestre, d'abandonner sa place de premier violon afin de libérer les samedis matin pour le tennis. Pas une seconde ne passe sans que cela ne me soit douloureux. Quand elle joua son dernier morceau en tant que premier violon à un récital à Tanglewood, puis qu'elle serra la main du chef d'orchestre, j'en pleurais presque. Deuxièmement, Lulu décida qu'elle ne voulait plus aller à New York tous les dimanches pour les leçons de violon, alors on renonça aux cours de Mlle Tanaka et à notre précieuse place auprès de ce célèbre professeur de Juilliard qui avait été si difficile à obtenir !

Je lui trouvai un professeur dans le coin, à New Haven. Après avoir discuté longuement, nous nous sommes également mises d'accord pour que Lulu répète toute seule, sans moi et sans répétiteurs réguliers, et pendant seulement une demi-heure par jour — c'était loin d'être suffisant, je le savais, pour maintenir son haut niveau de jeu.

Pendant les premières semaines qui suivirent la décision de Lulu, j'errais dans la maison comme quelqu'un qui a perdu sa mission, sa raison de vivre.

Lors d'un déjeuner, il y a peu, je rencontrai Elizabeth Alexander — le professeur de Yale qui, le jour de l'investiture du président Obama, lut le poème qu'elle avait composé pour l'occasion — à qui je confiai combien j'admirais son travail. Nous échangions quelques mots lorsqu'elle me dit : « Attendez un instant, je crois vous connaître. Avez-vous deux filles qui ont étudié à la Neighborhood Music School ? N'êtes-vous pas la mère de ces deux musiciennes extrêmement talentueuses ? »

Elizabeth a deux enfants, plus jeunes que mes filles, qui ont aussi étudié à la même école de musique et qui avaient entendu Sophia et Lulu jouer à plusieurs reprises. « Vos filles sont *incroyables* », ajouta-t-elle.

Autrefois, j'aurais dit modestement : « Oh, elles ne sont pas si bonnes que ça », espérant éperdument qu'elle m'en demande plus pour que je puisse lui parler des derniers succès musicaux de Sophia et de Lulu. Maintenant, je me contentais de hocher la tête.

« Jouent-elles toujours ? continua Elizabeth. Je ne les vois plus à l'école.

— Ma fille aînée fait toujours du piano, répondis-je. Ma cadette, la violoniste, elle ne joue plus vraiment autant qu'avant. » C'était comme un coup de couteau dans le cœur. « Elle préfère le tennis. » Même si elle est classée à la dix millième place en Nouvelle-Angleterre, pensai-je. Sur dix mille.

« Oh non ! dit Elizabeth. C'est vraiment dommage. Elle était tellement douée. Elle inspirait mes deux petits.

— C'est sa décision, m'entendis-je lui dire. Ça exigeait trop de temps. Vous savez comment sont les ados de treize ans. » Quelle mère occidentale je suis devenue ! me dis-je en moi-même. Quel échec !...

Mais je tins parole. Je laissai Lulu jouer au tennis comme il lui plaisait, à son propre rythme, en prenant ses propres décisions. Je me souviens de sa première inscription à un tournoi pour débutants organisé par la Fédération de tennis des États-Unis. Elle revint de bonne humeur, visiblement pleine d'adrénaline.

« Comment ça s'est passé pour toi ? demandai-je.

— Oh, j'ai perdu... mais c'était mon premier tournoi, et ma stratégie n'allait pas du tout.

— Quel était le score ?

— Zéro-six, zéro-six, dit Lulu. Mais la fille contre qui j'ai joué était vraiment bonne. »

Si elle est si bonne que ça, pourquoi joue-t-elle dans un tournoi pour débutants ? pensai-je sombrement, mais je dis tout haut : « Bill Clinton a déclaré récemment à des étudiants de Yale qu'on ne peut devenir vraiment très bon en quelque chose que si on aime ça. Alors c'est bien que tu aimes le tennis. »

Mais ce n'est pas parce qu'on aime quelque chose, ajoutai-je en moi-même, qu'on devient nécessairement très bon. Pas si on ne travaille pas. La plupart des gens sont nuls dans les choses qu'ils aiment.

34

LE DÉNOUEMENT

Lulu sur le court.

Nous avons récemment organisé chez nous un dîner protocolaire pour des juges du monde entier. L'une des choses qui forcent le plus l'humilité dans le fait d'être professeur de droit à Yale, c'est que l'on rencontre des personnalités impressionnantes — certains des plus grands juristes du moment. Depuis maintenant dix ans, le colloque mondial sur le constitutionnalisme, organisé à Yale, a accueilli des juges à la Cour suprême de dizaines de pays, y compris des États-Unis.

Pour divertir nos hôtes, nous invitâmes le professeur de

piano de Sophia, Wei-Yi Yang, à jouer une partie du programme qu'il préparait pour la série annuelle de concerts de piano en l'honneur de Vladimir Horowitz — les Horowitz Piano Series de Yale. Wei-Yi suggéra généreusement que sa jeune élève Sophia soit aussi de la partie. Pour s'amuser, professeur et élève pouvaient interpréter ensemble un morceau à quatre mains : « En bateau » de la *Petite Suite* de Debussy.

J'étais tout excitée et terriblement nerveuse à cette idée, et je dis à Sophia de façon encourageante : « Ne gâche pas ce coup-là. Tout repose sur ta performance. Les juges ne viennent pas à New Haven pour assister à un concours de lycéens amateurs. Si tu n'es pas plus que parfaite, on les aura insultés. Maintenant va t'asseoir au piano et ne le quitte plus. » Je suppose qu'il y a encore un peu de la mère chinoise en moi.

Les quelques semaines qui suivirent donnèrent l'impression de revivre la préparation pour le Carnegie Hall, sauf que maintenant Sophia s'entraînait presque toujours toute seule. Comme autrefois, je me plongeais dans ses morceaux — l'*Allegro appassionato* de Saint-Saëns, une polonaise et la *Fantaisie-Impromptu* de Chopin — mais la vérité était que Sophia avait désormais à peine besoin de moi. Elle savait exactement ce qu'elle devait faire, et seulement à l'occasion criais-je une critique de la cuisine ou de l'étage. Pendant ce temps, Jed et moi avions déménagé tous nos meubles du salon excepté le piano. Je nettoyai moi-même le sol, et nous louâmes des chaises pour une cinquantaine de personnes.

Le soir du concert, Sophia portait une robe rouge et, tandis qu'elle entrait pour saluer avant de s'installer au piano, la panique s'empara de moi. J'étais pratiquement figée pendant la polonaise. Je n'arrivais pas à apprécier Saint-Saëns non plus, même si Sophia l'interpréta brillamment. Cette pièce est censée être un pur divertissement virtuose, mais j'étais trop tendue pour être divertie. Sophia allait-elle être capable de maintenir le pétillant et la pureté de ses roulades ? Avait-elle trop répété, et ses mains risquaient-elles de lâcher ? Je devais me forcer à ne pas me balancer d'avant en arrière et à ne pas fredonner comme un automate — c'est ce que je fais d'habitude lorsque les filles jouent un morceau difficile.

Mais lorsque Sophia joua sa dernière pièce, la *Fantaisie-Impromptu* de Chopin, tout changea. Pour une raison ou pour une autre, la tension en moi se dissipa, les mâchoires se décrispèrent, et je ne pensais qu'une chose : ce morceau lui appartient. Lorsqu'elle se leva pour saluer, un sourire radieux sur son visage, je me disais : Voilà ma fille — elle est heureuse ; la musique la rend heureuse. C'est à ce moment-là que j'ai su que tout ça en avait valu la peine.

Après les trois ovations qu'ils offrirent à Sophia, les juges — y compris beaucoup d'entre eux que j'ai idolâtrés pendant des années — ne tarirent pas d'éloges. L'un d'eux dit que l'interprétation de Sophia était sublime et qu'il aurait pu l'écouter toute la soirée. Un autre affirma qu'elle devait devenir pianiste professionnelle, car ce serait un crime de ne pas exploiter son talent. Et un nombre surprenant de juges, étant eux-mêmes parents, me posèrent des questions personnelles telles que : « Quel est votre secret ? Pensez-vous qu'il y ait quelque chose dans la culture familiale asiatique qui permet de produire tant de musiciens exceptionnels ? » Ou bien : « Dites-moi : Sophia répète-t-elle toute seule parce qu'elle aime la musique, ou devez-vous l'y forcer ? Je n'ai jamais réussi à faire jouer mes enfants plus de quinze minutes. » Et encore : « Et votre autre fille ? J'entends dire que c'est une violoniste fabuleuse. L'entendrons-nous la prochaine fois ? »

Je leur dis que je me démenais pour finir un livre qui portait justement sur ces questions et que je leur enverrais un exemplaire quand il serait terminé.

À peu près à la même période que le concert de Sophia pour les juges, j'allais chercher Lulu dans quelque court de tennis paumé du Connecticut, à environ une heure de route.

« Tu sais quoi, maman ? J'ai gagné !

— Gagné quoi ? demandai-je.

— Le tournoi, dit Lulu.

— Qu'est-ce que ça veut dire ?

— J'ai gagné trois matchs, et j'ai battu la première tête de série en finale. Elle était classée soixantième en Nouvelle-Angleterre. Je n'arrive pas à croire que je l'ai battue ! »

J'étais interloquée. J'avais moi-même joué au tennis quand j'étais adolescente, mais toujours dans le seul but de m'amuser avec ma famille ou des amis d'école. Adulte, j'essayai quelques tournois, mais je réalisai bientôt que je ne supportais pas la pression de la compétition. Jed et moi avions fait prendre des cours de tennis à Sophia et Lulu, mais principalement pour avoir une activité en famille et sans jamais avoir eu le moindre espoir.

« Joues-tu toujours au niveau débutant ? demandai-je à Lulu. Au niveau le plus bas ?

— Oui », répondit-elle aimablement. Depuis que je lui avais donné le choix, nous nous entendions bien mieux. Il semblait qu'il fallait que ce soit moi qui souffre pour qu'elle soit belle, et elle se montrait plus patiente et plus joviale. « Mais je vais bientôt essayer le niveau suivant. Je suis sûre que je vais perdre, mais je veux essayer pour m'amuser. »

Et puis elle déclara, de façon complètement inattendue : « L'orchestre me manque tellement. »

Pendant les six semaines suivantes, Lulu gagna trois tournois de plus. Aux deux derniers, j'allais la regarder jouer : sur le court, elle « pétait le feu ». Je fus frappée de voir avec quelle force elle lâchait ses balles, à quel point elle semblait concentrée, et sans jamais rien abandonner.

À mesure que Lulu marquait des points, la compétition devenait beaucoup plus rude. Lors d'un tournoi, elle perdit contre une fille qui avait deux fois son gabarit. Quand Lulu sortit du court, elle était souriante et affable, mais à peine fut-elle montée dans la voiture qu'elle me dit : « Je vais la battre la prochaine fois. Je ne suis pas encore assez bonne — mais c'est pour bientôt. » Puis elle me demanda si je pouvais l'inscrire à des leçons de tennis supplémentaires.

À la leçon suivante, je regardais Lulu travailler son revers avec une concentration et une ténacité que je ne lui avais jamais vues. Après, elle me demanda si je voulais bien lui envoyer des balles pour qu'elle puisse continuer à s'entraîner, et nous y passâmes une heure de plus. Sur le chemin du retour, quand je lui dis que son revers semblait s'être grandement amélioré, elle répondit : « *Non*, il n'est pas encore bon. Il est toujours épouvantable. Peut-on réserver un court pour demain ? »

Elle a une telle volonté de réussir, me dis-je. Elle est tellement... intense.

Je parlai avec le moniteur de tennis de Lulu. « Il n'y a aucun moyen pour que Lulu devienne vraiment bonne un jour, n'est-ce pas ? Je veux dire, elle a treize ans — ça doit être dix ans trop tard. » J'avais entendu parler de l'explosion des académies de tennis de haut vol et des enfants de quatre ans qui avaient des entraîneurs particuliers. « Et puis, elle est tellement petite, comme moi.

— Ce qui compte, c'est que Lulu aime le tennis, dit le moniteur, très « américainement ». Et elle a aussi une incroyable éthique du travail : je n'ai jamais vu qui que ce soit progresser aussi vite. C'est une fille formidable. Vous et votre mari avez fait un travail extraordinaire avec elle. Elle ne se donne jamais à moins de 110 %. Et elle est toujours tellement optimiste et polie.

— Vous voulez rire », dis-je. Mais, malgré moi, mon moral remonta. Se pouvait-il que ce soit le cercle vertueux chinois en action ? Avais-je peut-être simplement choisi la mauvaise activité pour Lulu ? Le tennis était tout à fait respectable — pas comme le bowling. Michael Chang avait joué au tennis.

Je commençais à me préparer. Je me familiarisais avec les règles et procédures de la Fédération de tennis des États-Unis, et avec le système de classement national. Je me renseignais sur les entraîneurs, et je commençais à passer des coups de téléphone pour m'informer des meilleurs cours dispensés par des joueurs professionnels dans la région.

Lulu m'entendit par hasard un jour. « Qu'est-ce que tu fais ? » demanda-t-elle. Lorsque j'expliquai que je faisais juste quelques recherches, elle se mit soudain en colère. « Non, maman, *non* ! dit-elle farouchement. Ne me gâche pas le tennis comme tu m'as gâché violon. »

Ça, ça faisait vraiment mal. Je reculai.

Le lendemain, j'essayai de nouveau. « Lulu, il y a un endroit au Massachusetts...

— Non, maman, je t'en prie, arrête, dit Lulu. Je peux faire ça toute seule. Je n'ai pas besoin que tu t'en mêles.

— Lulu, ce qu'il faut qu'on fasse, c'est canaliser ta force...

— Maman, j'ai *pigé*. Je t'ai regardée et écoutée me faire la leçon des milliers de fois. Mais je ne veux pas que tu contrôles ma vie. »

Fixant mon regard sur elle, je la compris. Tout le monde avait toujours dit qu'elle était mon portrait craché, ce que j'adorais entendre mais qu'elle niait avec véhémence. Une image d'elle à l'âge de trois ans, se tenant dehors, provocante dans le froid, me vint à l'esprit. Elle est indomptable, pensai-je en moi-même, et l'a toujours été. Quel que soit son parcours, elle sera incroyable.

« D'accord, Lulu, je peux l'accepter, dis-je. Tu vois combien je fais preuve de tranquillité et de souplesse ? Pour réussir en ce monde, il faut toujours être prêt à s'adapter. C'est une chose pour laquelle je suis particulièrement douée et que tu devrais apprendre de moi. »

Mais je n'ai pas complètement abandonné. Je suis encore dans la bataille, bien que j'aie modifié ma stratégie de façon significative. L'autre jour, Lulu m'a dit qu'elle aurait encore moins de temps pour le violon car elle voulait faire d'autres choses qui l'intéressent, comme l'écriture et l'« impro ». Au lieu de m'étrangler, je l'ai soutenue et je me suis montrée proactive. Je vois à long terme. Lulu peut faire des imitations tordantes et, si l'impro semble bel et bien une chose non chinoise et à l'opposé de la musique classique, c'est indéniablement un talent. Je nourris aussi l'espoir que Lulu ne sera pas capable d'échapper à son amour de la musique, et qu'un jour ou l'autre — peut-être bientôt — elle reprendra le violon de son propre chef.

Pendant ce temps, tous les week-ends, j'emmène Lulu à des tournois de tennis et je la regarde jouer. Elle a récemment réussi à faire partie de l'équipe de première catégorie du lycée, la seule collégienne à y arriver. Parce que Lulu a insisté pour que je lui épargne tout conseil et toute critique, j'ai eu recours à l'espionnage et à la guérilla. Je plante secrètement des idées dans la tête de son entraîneur de tennis, en lui envoyant des textos pour lui poser des questions et proposer des stratégies d'entraînement, que j'efface ensuite afin que Lulu ne les voie pas. Parfois, quand Lulu s'y attend le moins — au petit déjeuner ou quand je lui souhaite une bonne nuit — je crie soudain : « Plus de rotation à la volée ! » ou « Ne bouge pas ton pied droit quand tu sers ! » Et Lulu se bouchera les oreilles, et nous nous disputerons, mais j'aurai fait passer mon message, et je sais qu'elle sait que j'ai raison.

Notre famille, en 2010.

Les Tigres sont passionnés et imprudents, et refusent de voir le danger. Mais ils tirent parti de l'expérience, dans laquelle ils puisent une nouvelle énergie et une plus grande force.

J'ai commencé à écrire ce livre le 29 juin 2009, le lendemain de notre retour de Russie. Je ne savais pas pourquoi je l'écrivais, ni comment il allait s'achever, mais, bien que je souffre généralement du syndrome de la page blanche, cette fois-ci le flot des mots me vint spontanément, coulant de source. J'ai mis seulement huit semaines à rédiger les deux premiers tiers du livre. (Je souffrais à écrire le dernier tiers.) Je montrais chaque page à Jed et aux filles. « On l'écrit ensemble, dis-je à Sophia et à Lulu.

— Non, on ne l'écrit pas ensemble, dirent-elles toutes les deux. C'est ton livre, maman, pas le nôtre.

— De toute façon, je suis sûre qu'il ne parle que de toi », ajouta Lulu.

Mais à mesure que le temps passait, plus elles lisaient, plus elles participaient. La vérité, c'est que ça a eu un effet thérapeutique — un concept occidental, me rappellent les filles.

Les années passant, j'avais oublié beaucoup de choses, bonnes et mauvaises, que les filles et Jed m'aidaient à me remémorer. Pour essayer de rassembler les faits, je déterrais de vieux courriers électroniques, des dossiers sur ordinateur, des programmes musicaux et des albums de photos. Souvent, Jed et moi succombions à la nostalgie. Sophia n'était hier encore qu'un bébé, semblait-il, et voilà qu'elle était à un an de faire sa demande d'inscription à l'université. Sophia et Lulu succombaient surtout en voyant combien elles étaient mignonnes quand elles étaient petites.

Il ne faut pas se méprendre : écrire ce livre n'a pas été facile. Rien dans notre famille ne l'est jamais. Il m'a fallu produire de multiples versions, en révisant constamment le texte pour répondre aux objections des filles. J'ai fini par laisser de côté de larges pans sur Jed, parce que c'est un tout autre livre, et que c'est vraiment à lui de raconter son histoire. J'ai dû réécrire certaines parties des dizaines de fois avant de réussir à satisfaire à la fois Sophia et Lulu. À plusieurs reprises, l'une d'elles, en train de lire l'ébauche d'un chapitre, pouvait tout d'un coup éclater en sanglots et sortir précipitamment. Ou bien, j'obtenais un brusque : « C'est super, maman, très drôle. Mais je ne sais pas de qui tu parles au juste, c'est tout. Ce n'est certainement pas de *notre* famille qu'il s'agit. »

« Oh, non ! s'écria Lulu une fois. Est-ce que je suis censée être Pouchkine, celle qui est idiote ? Et Sophia est Coco, qui est intelligente et qui apprend tout ? » Je faisais remarquer que Coco n'était pas intelligente, ni capable d'apprendre quoi que ce soit non plus. J'assurais aux filles que les chiennes n'étaient pas censées être leurs pendants métaphoriques.

« Alors à quoi servent-elles ? demanda Sophia, toujours logique. Pourquoi sont-elles dans le livre ?

— Je ne le sais pas encore, admis-je. Mais je sais qu'elles sont importantes. Il y a quelque chose d'intrinsèquement instable dans le fait qu'une mère chinoise élève des chiens. »

Une autre fois, Lulu se plaignit : « Je trouve que tu exagères la différence entre Sophia et moi pour essayer de rendre le livre intéressant. Tu me fais ressembler au type même de l'adolescente rebelle américaine, alors que j'en suis bien loin. » Sophia, en attendant, venait tout juste de dire : « Je trouve que tu adoucis beaucoup trop Lulu. Tu la fais ressembler à un ange. »

Naturellement, les deux filles trouvaient que le livre ne leur rendait pas justice. « Tu devrais assurément dédier ce livre à Lulu, dit Sophia un jour, avec magnanimité. Elle est manifestement l'héroïne. Moi, je suis la fille fade contre laquelle les lecteurs vont siffler, tandis qu'elle est celle qui a de la *verve* et du *panache*. » Et de la part de Lulu : « Tu devrais peut-être intituler ton livre *L'enfant parfaite et le démon carnivore*. Ou alors *Pourquoi les aînés sont mieux*. C'est de ça qu'il s'agit, n'est-ce pas ? »

L'été avançait et les filles n'arrêtaient pas de me harceler : « Alors, comment s'achève le livre, maman ? Est-ce qu'il finit bien ? »

Je répondais toujours quelque chose du genre : « Ça dépend de vous. Mais je suppose que ça se finira en tragédie. »

Les mois passèrent, mais je ne savais tout simplement pas comment terminer le livre. Un jour, j'allai vers les filles en courant : « Ça y est, j'ai trouvé ! Je suis sur le point de conclure le livre. »

Les filles étaient tout excitées. « Alors, quelle fin a-t-il ? demanda Sophia. Quelle est la morale de l'histoire ?

— J'ai décidé de favoriser une approche hybride, dis-je. Le meilleur des deux mondes. La voie chinoise jusqu'à ce que l'enfant ait dix-huit ans, pour développer la confiance en soi et la valeur de l'excellence, la voie occidentale après. Chaque individu doit trouver son propre chemin, ajoutai-je gaillardement.

— Attends... Jusqu'à dix-huit ans ? demanda Sophia. Ce n'est pas une approche hybride. C'est juste l'éducation à la chinoise pendant toute l'enfance jusqu'à la majorité.

— Je crois que tu te montres trop technique, Sophia. »

Néanmoins, je retournai à la case départ. Je loupai d'autres tentatives, produisis laborieusement quelques autres ratés. Finalement, un jour — en fait, hier — je demandai aux filles comment, *selon elles*, le livre devrait se terminer.

« Eh bien, dit Sophia, cherches-tu à dire la vérité ou juste à raconter une bonne histoire ?

— À dire la vérité, répondis-je.

— Ça va être difficile, parce qu'elle change sans arrêt, dit Sophia.

— Non, ce n'est pas vrai, rétorquai-je. J'ai une excellente mémoire.

— Alors pourquoi modifies-tu tout le temps la fin ? demanda Sophia.

— Parce qu'elle ne sait pas ce qu'elle veut dire, suggéra Lulu.

— Il t'est impossible de dire toute la vérité, dit Sophia. Tu as laissé de côté tellement de faits, ce qui signifie que personne ne peut réellement comprendre. Par exemple, tout le monde va croire que j'ai été *assujettie* à l'éducation chinoise. Mais ce n'était pas le cas, je l'ai acceptée, par choix personnel.

— Pas quand tu étais petite, dit Lulu. Maman ne nous a jamais laissé le choix quand on était petites. Sauf du genre : "Veux-tu répéter pendant six ou cinq heures ?"

— Le choix... Je me demande si ça ne se résume pas à ça, dis-je d'un ton songeur. Les Occidentaux croient au choix ; pas les Chinois. J'avais l'habitude de me moquer de Popo parce qu'elle avait demandé à papa s'il voulait ou non prendre des leçons de violon. Évidemment, il avait choisi de ne pas en prendre. Mais maintenant, Lulu, je m'interroge sur ce qui se serait passé si je ne t'avais pas forcée à auditionner pour la Juilliard ou à répéter tant d'heures par jour. Qui sait ? Tu aimerais peut-être encore le violon. Ou bien si je t'avais laissée choisir ton propre instrument ? Ou aucun instrument ? Après tout, papa s'en est bien tiré.

— Ne sois pas ridicule, dit Lulu. Bien sûr que je suis contente que tu m'aies forcée à jouer du violon.

— Ah, *d'accord*. Bonjour, docteur Jekyll ! Où est mister Hyde ?

— Non, je ne plaisante pas, dit Lulu. J'aimerai toujours le violon. Je suis même contente que tu m'aies fait travailler dur les exposants. Et étudier le chinois deux heures par jour.

— Tu es sérieuse ? demandai-je.

— Ouais, répondit Lulu en hochant la tête.

— Vraiment !? m'exclamai-je. Parce que, en y réfléchissant, je pense également que nous avons fait là de très bons choix, même si les gens s'inquiétaient que Sophia et toi ayez des séquelles psychologiques à vie. Et vous savez, plus j'y pense et plus ça me met en colère. Tous ces parents occidentaux avec la même politique sur ce qui est bon pour les enfants et ce qui ne l'est pas — je ne suis pas sûre du tout qu'ils fassent des choix. Ils font juste comme tout le monde. Contrairement à ce qu'on croit, ils ne remettent rien en question non plus. Ils se contentent de répéter des choses du style : “Vous devez donner à vos enfants la liberté de s'adonner à leur *passion*", alors qu'il est évident que la "passion" en question sera simplement de passer dix heures sur Facebook, ce qui est une perte de temps absolue, et de manger toutes ces cochonneries infectes — je vous le dis, ce pays ne fera qu'empirer ! Pas étonnant que les parents occidentaux soient jetés en maison de retraite quand ils sont vieux ! Vous deux, vous n'avez pas intérêt à faire ça avec moi. Et je ne veux pas qu'on me débranche non plus.

— Calme-toi, maman, dit Lulu.

— Quand leurs enfants échouent à quelque chose, au lieu de leur dire de travailler plus dur, le premier réflexe des parents occidentaux est d'intenter un procès !

— De qui parles-tu exactement ? demanda Sophia. Je ne connais pas de parents occidentaux qui aient intenté un procès.

— Je refuse de céder aux normes sociales politiquement correctes qui sont manifestement stupides. Et pas même enracinées dans l'histoire. Quelles sont donc les origines des journées de jeux ? Pensez-vous que nos Pères fondateurs allaient dormir chez les copains ? À vrai dire, je pense que les Pères fondateurs de l'Amérique avaient des valeurs chinoises.

— Je suis désolée de te l'apprendre, maman, mais…

— Benjamin Franklin a dit : "Si la vie tu aimes, de temps tu ne dois JAMAIS perdre." Thomas Jefferson a dit : "Je crois profondément à la chance, et plus je travaille dur, plus j'en ai." Et Alexander Hamilton : "Ne soyez pas geignards." C'est totalement chinois comme façon de penser.

— Maman, si les Pères fondateurs pensaient ainsi, alors c'est une façon de penser américaine, dit Sophia. De plus, je crois que tu as pu déformer leurs propos.

— Va vérifier », la défiai-je.

Ma sœur Katrin va mieux maintenant. Il est certain que la vie est dure pour elle, et elle n'est pas encore tirée d'affaire, mais c'est une héroïne et elle supporte tout avec grâce, faisant des recherches sans relâche, écrivant article sur article, et passant autant de temps que possible avec ses enfants.

Je me demande souvent quelle est la leçon de sa maladie. La vie étant si courte et si fragile, chacun de nous, assurément, devrait essayer de profiter le plus possible de chaque souffle, de chaque instant. Mais que veut dire vivre sa vie au maximum ?

Nous devons tous mourir un jour. Mais que faut-il en conclure ? En tout cas, je viens tout juste de dire à Jed que je veux un autre chien.

REMERCIEMENTS

J'ai tellement de gens à remercier :

Ma mère et mon père — personne n'a autant cru en moi, et ils ont ma plus profonde admiration et gratitude.

Sophia et Louisa, ma plus grande source de bonheur, qui font ma joie et ma fierté.

Mes extraordinaires sœurs, Michelle, Katrin et Cindy.

Et surtout, mon mari, Jed Rubenfeld, qui, depuis plus de vingt-cinq ans, a lu chaque mot que j'ai écrit. J'ai la chance incroyable de bénéficier de sa gentillesse et de son génie.

Mon beau-frère, Or Gozani, et mes neveux et nièces, Amalia, Dimitri, Diana, Jake et Ella.

Pour les remarques perspicaces, les débats passionnés et le soutien inestimable qu'ils m'ont apportés, mes amis chers : Alexis Constant et Jordan Smoller, Sylvia et Walter Austerer, Susan et Paul Fiedler, Marina Santilli, Anne Dailey, Jennifer Brown (pour « la leçon d'humilité » !), Nancy Greenberg, Anne Tofflemire, Sarah Bilston et Daniel Markovits, et Kathleen Brown-Dorato et Alex Dorato. Merci également à Elizabeth Alexander, Barbara Rosen, Roger Spottiswoode, Emily Bazelon, Linda Burt et Annie Witt pour leur généreux soutien.

Tous ceux qui ont contribué à insuffler l'amour de la musique en Sophia et Lulu, parmi lesquels Michelle Zingale, Carl Shugart, Fiona Murray, Jody Rowitsch et Alexis Zingale de la Neighborhood Music School ; le fabuleux Richard Brooks du Norwalk Youth Symphony ; Annette Chang Barger, Ying Ying Ho, Yu-ting Huang, Nancy Jin, Kiwon Nahm et Alexandra Newman ; les exceptionnelles Naoko Tanaka et Almita Vamos ; et surtout mon ami, l'incomparable Wei-Yi Yang.

Tous les merveilleux professeurs que Sophia et Lulu ont eu la chance d'avoir à l'école Foote (et, en réalité, j'ai adoré le Festival Médiéval), surtout Judy Cuthbertson et Cliff Sahlin.

Du côté du tennis : Alex Dorato, Christian Appleman et Stacia Fonseca.

Mes étudiants, Jacqueline Esai, Ronan Farrow, Sue Guan, Stephanie Lee, Jim Ligtenberg, Justin Lo, Peter McElligott, Luke Norris, Amelia Rawls, Nabiha Syed et Elina Tetelbaum.

Pour terminer, je remercie du fond du cœur l'incroyable Tina Bennett, qui est le meilleur agent que l'on puisse imaginer, ainsi que ma directrice de publication et éditrice, la brillante et inégalée Ann Godoff.

NOTES

Les épigrammes du zodiaque chinois pour le Tigre sont tirés de « Chinese Zodiac : Tiger », http://pages.infinit.net/garrick/chinese/tiger.html (consulté le 18 décembre 2009), et « Chinese Zodiac : Tiger », http://www.chinesezodiac.com/tiger.php (consulté le 18 décembre 2009).

Chapitre 1 : La mère chinoise

Les statistiques que je cite proviennent des études suivantes : Ruth K. Chao, « Chinese and European American Mothers' Beliefs About the Role of Parenting in Children's School Success », *Journal of Cross-Cultural Psychology*, n° 27, 1996, p. 403-423 ; Paul E. Jose, Carol S. Huntsinger, Phillip R. Huntsinger, et Fong-Ruey Liaw, « Parental Values and Practices Relevant to Young Children's Social Development in Taiwan and the United States », *Journal of Cross-Cultural Psychology*, n° 31, 2000, p. 677-702 ; et Parminder Parmar, « Teacher or Playmate ? Asian Immigrant and Euro-American Parents' Participation in Their Young Children's Daily Activities », *Social Behavior and Personality*, n° 36, vol. 2, 2008, p. 163-176.

Chapitre 3 : Louisa

La chanson de musique country à laquelle je fais référence est *Wild One*, écrite par James Kyle, Pat Bunch et Will Rambeaux. Les caractéristiques du zodiaque chinois que j'utilise proviennent des sites Internet suivants : « Monkey Facts », http://www.chineseinkdesign.com/Chinese-Zodiac-Monkey.html (consulté le 18 décembre 2009) ; « The Pig/Boar Personality », http://www.chinavoc. com/zodiac/pig/person.asp (consulté le 18 décembre 2009) ; et « Chinese Zodiac : Tiger », http://pages.infinit.net/garrick/chinese/tiger.html (consulté le 18 décembre 2009).

Chapitre 5 : Sur le déclin générationnel

Pour une étude éclairante des mères asiatiques qui poussent leurs enfants à étudier la musique, voir Grace Wang, « Interlopers in the Realm of High Culture : "Music Moms" and the Performance of Asian and Asian American Identities », *American Quarterly*, n° 61, vol. 4, 2009, p. 881-903.

Chapitre 8 : L'instrument de Lulu

Brent Hugh, « Claude Debussy and the Javanese Gamelan », disponible à l'adresse : http://brenthugh.com/debnotes/debussy-gamelan.pdf (consulté le 12 décembre 2009) (texte pour un cours-récital présenté à l'université du Missouri à Kansas City en 1998).

Chapitre 9 : Le violon

Sur la façon de tenir le violon, voir Carl Flesch, *The Art of Violon Playing, Book One*, traduit et édité par Eric Rosenblith, New

York, Carl Fischer, 2000, p. 3 [connu en France sous le titre *L'Art du violon*].

Chapitre 12 : La cadence

Sur la surreprésentation asiatique dans les meilleures écoles de musique :

> Dans les écoles et départements de musique de premier plan, les Asiatiques et les Asio-Américains représentent 30 à 50 % de la population estudiantine. Les chiffres sont souvent plus élevés au niveau préuniversitaire. Dans les programmes très cotés tels que le programme préuniversitaire de la Juilliard, les Asiatiques et les Asio-Américains composent plus de la moitié des étudiants ; les deux groupes les plus importants à y être représentés sont les étudiants d'origine chinoise et coréenne qui étudient le violon ou le piano.

Grace Wang, « Interlopers in the Realm of High Culture : "Music Moms" and the Performance of Asian and Asian American Identities », *American Quarterly*, n° 61, vol. 4, 2009, p. 882.

Chapitre 13 : Coco

Sur le docteur Stanley Coren et ses classements, voir « The Intelligence of Dogs », disponible à l'adresse : http://petrix.com/dogint/ (consulté le 24 juillet 2009). D'autres sources que je cite : Michael D. Jones, « Samoyeds Breed — FAQ » (1997), disponible à l'adresse : http://www.faqs.org/faqs/dogs-faq/breeds/samoyeds/ (consulté le 21 juillet 2009) ; et SnowAngels Samoyeds, « The Samoyed Dog : A Short History », disponible à l'adresse : http://www.snowangelssamoyeds.com/The_Samoyed.html (consulté le 21 juillet 2009) (italiques ajoutés).

PREMIÈRE PARTIE 11

DEUXIÈME PARTIE 101

Composition Nord Compo
Achevé d'imprimer
sur Timson
par Normandie Roto Impression s.a.s.
61250 Lonrai
Dépôt légal : octobre 2011
Numéro d'imprimeur : 11-3740
ISBN 978-2-07-013313-0 / Imprimé en France

181799